容疑者xの献身

東野圭吾

文藝春秋

容疑者χの献身

装幀・石崎健太郎
イメージ・Burke/Triolo Productions/Getty Images

1

午前七時三十五分、石神はいつものようにアパートを出た。三月に入ったとはいえ、まだ風はかなり冷たい。マフラーに顎《あご》を埋めるようにして歩きだした。通りに出る前に、ちらりと自転車置き場に目を向けた。そこには数台並んでいたが、彼が気にかけている緑色の自転車はなかった。

南に二十メートルほど歩いたところで、太い道路に出た。新大橋通りだ。左に、つまり東へ進めば江戸川区に向かい、西へ行けば日本橋に出る。日本橋の手前には隅田川があり、それを渡るのが新大橋だ。

石神の職場へ行くには、このまま真っ直ぐ南下するのが最短だ。数百メートル行けば、清澄庭園という公園に突き当たる。その手前にある私立高校が彼の職場だった。つまり彼は教師だった。数学を教えている。

石神は目の前の信号が赤になるのを見て、右に曲がった。新大橋に向かって歩いた。向かい風が彼のコートをはためかせた。彼は両手をポケットに突っ込み、身体をやや前屈みにして足を送りだした。

厚い雲が空を覆《おお》っていた。その色を反射させ、隅田川も濁った色に見えた。小さな船が上流に向かって進んでいく。それを眺めながら石神は新大橋を渡った。

橋を渡ると、彼は袂《たもと》にある階段を下りていった。橋の下をくぐり、隅田川に沿って歩き始めた。川の両側には遊歩道が作られている。もっとも、家族連れやカップルが散歩を楽しむのは、この先の清洲橋あたりからで、新大橋の近くには休日でもあまり人が近寄らない。その理由はこの場所に来てみればすぐにわかる。青いビニールシートに覆われたホームレスたちの住まいが、ずらりと並んでいるからだ。すぐ上を高速道路が通っているので、風雨から逃れるためにもこの場所はちょうどいいのかもしれない。その証拠に、川の反対側には青い小屋など一つもない。もちろん、彼等なりに集団を形成しておいたほうが何かと都合がいい、という事情もあるのだろう。

青い小屋の前を石神は淡々と歩き続けた。それらの大きさはせいぜい人間の背丈ほどで、中には腰ぐらいの高さしかないものもあった。小屋というより箱と呼んだほうがふさわしい。しかし中で寝るだけなら、それで十分なのかもしれない。小屋や箱の近くには、申し合わせたように洗濯ハンガーが吊されており、ここが生活空間であることを物語っていた。

堤防の端に作られた手すりにもたれ、歯を磨いている男がいた。石神がよく見かける男だった。年齢は六十歳以上、白髪混じりの髪を後ろで縛っている。働く気は、もうないのだろう。肉体労働をするつもりなら、こんな時間にうろうろしていない。そうした仕事の斡旋《あっせん》が行われるのは早朝だ。また、職安に行く予定もないのだろう。仕事を紹介されても、あの伸び放題の髪のままでは、面接に行くことすらできない。無論、あの年齢では、仕事を紹介される可能性もかぎりなくゼロに近いだろうが。

塒《ねぐら》のそばで大量の空き缶を潰《つぶ》している男がいた。そうした光景はこれまでにも何度か見ているので、石神はひそかに『缶男』という渾名《あだな》をつけていた。『缶男』は五十歳前後に見えた。身の回り品は一通り揃っているし、自転車まで持っている。おそらく、缶を集める際には機動性を発揮するに違いない。集団の一番端、しかも少し奥まった場所というのは、この中では特等席に思われる。だから『缶男』はこの一団の中では古株だろうと石神は睨《にら》んでいた。

青いビニールシートの住居の列が途切れてから少し行ったところで、一人の男がベンチに座っていた。元々はベージュ色だったと思われるコートは、薄汚れて灰色に近い。コートの下にはジャケットを着ているし、その下はワイシャツだ。ネクタイはたぶんコートのポケットに入っているのだろうと石神は推理した。石神は彼のことを『技師』と心の中で名付けていた。先日、工業系の雑誌を読んでいるのを見たからだ。髪は短く保たれているし、髭も剃られている。だから『技師』はまだ再就職の道を諦《あきら》めてはいないのだ。今日もこれから職安に出向くつもりなのかもしれない。しかしおそらく仕事は見つからないだろう。彼が仕事を見つけるには、まずプライドを捨てねばならない。石神が『技師』の姿を初めて見たのは十日ほど前だ。『技師』はまだここの生活に馴染んでいない。青いビニールシートの生活とは一線を画したいと思っている。そのくせ、ホームレスとして生きていくにはどうすればいいかわからず、こんなところにいる。

石神は隅田川に沿って歩き続けた。清洲橋の手前に、三匹の犬を散歩させている老婦人がいた。

犬はミニチュアダックスフントで、赤、青、ピンクの首輪がそれぞれに付けられていた。近づいていくと彼女も石神に気づいたようだ。微笑み、小さく会釈してきた。彼も会釈を返した。

「おはようございます」彼のほうから挨拶した。

「おはようございます。今朝も冷えますね」

「全く」彼は顔をしかめてみせた。

老婦人の横を通り過ぎる時、「行ってらっしゃい。気をつけて」と彼女が声をかけてくれた。はい、と彼は大きく頷《うなず》いた。

彼女がコンビニの袋を提げているのを石神は見たことがある。袋の中身はサンドウィッチのようだった。たぶん朝食だろう。だから彼女は独り暮らしだと石神はふんでいる。住まいはここからさほど遠くはない。以前、彼女がサンダル履《ば》きだったのを見ているからだ。サンダルでは車の運転はできない。つれあいをなくし、この近くのマンションで三匹の犬と暮らしているのだ。しかもかなり広い部屋だ。だからこそ三匹も飼える。また、その三匹がいるから、ほかのもっとこぢんまりとした部屋に越すこともできないのだ。ローンは終わっているかもしれないが、管理費はかかる。それで彼女は節約しなければならない。彼女はこの冬中、とうとう美容院には行かなかった。髪を染めることもしなかった。

清洲橋の手前で、石神は階段を上がった。高校へ行くには、ここで橋を渡らねばならない。しかし彼は反対方向に歩きだした。

道路に面して、『べんてん亭』という看板が出ている。小さな弁当屋だった。石神はガラス戸を開けた。
「いらっしゃいませ。おはようございます」カウンターの向こうから、石神の聞き慣れた、それでいていつも彼を新鮮な気分にさせる声が飛んできた。白い帽子をかぶった花岡靖子が笑っていた。

店内にはほかに客はいなかった。そのことが彼を一層浮き浮きさせた。
「ええと、おまかせ弁当を……」
「はい、おまかせひとつ。いつもありがとうございます」

彼女が明るい声でいったが、どんな表情をしているのかは石神にはわからなかった。まともに顔を見られず、財布の中を覗き込んでいるところだったからだ。せっかく隣に住んでいるのだから、弁当の注文以外のことを話そうと思うのだが、話題が何ひとつ思い浮かばない。

代金を支払う時になってようやく、「寒いですね」といってみた。だが彼のぼそぼそと呟《つぶや》くような声は、後から入ってきた客のガラス戸を開ける音にかき消されてしまった。靖子の注意もそちらに移ったようだ。

弁当を手に、石神は店を出た。そして今度こそ清洲橋に向かった。彼が遠回りをする理由、それは『べんてん亭』にあった。

朝の通勤時間が過ぎると『べんてん亭』は暇になる。しかしそれは来店客がいなくなるというだけのことだ。実際には、店の奥で昼に備えての仕込みが始まる。契約を結んでいる会社がいくつかあり、そこへは十二時までに配達しなければならない。客が来ない間は、靖子も厨房を手伝うことになる。

『べんてん亭』は靖子を入れて四人のスタッフで成り立っていた。料理を作るのは、経営者でもある米沢と、その妻の小代子《さよこ》だ。配達はアルバイトの金子の仕事で、店での販売は殆ど靖子一人に任せられていた。

この仕事に就く前、靖子は錦糸町のクラブで働いていた。米沢はそこへしばしば飲みに来る客の一人だった。その店の雇われママである小代子が彼の妻だと靖子が知るのは、小代子が店を辞める直前のことだった。本人の口から聞かされたのだ。

「飲み屋のママから弁当屋の女房へ転身だってさ。人間、わかんねえもんだなあ」そんなふうに客たちは噂していた。しかし小代子によれば、弁当屋を経営するのが夫婦の長年の夢で、それを実現するために彼女も飲み屋で働いていた、ということらしい。

『べんてん亭』が開店すると、靖子も時々様子を見に行くようになった。店の経営は順調のようだった。手伝ってくれないか、という申し出を受けたのは、開店から丸一年が経った頃だ。何もかも夫婦だけでこなすのは、体力的にも物理的にも無理が多すぎるということだった。

「靖子だって、いつまでも水商売をやってるわけにはいかないでしょ。美里ちゃんも大きくなって、そろそろおかあさんがホステスをやってることについて、コンプレックスを持ったりしちゃうよ」

大きなお世話かもしれないけれど、と小代子は付け足した。

美里は靖子の一人娘だ。父親はいない。今から五年前に離婚したのだ。小代子にいわれるまでもなく、今のままではいけないと靖子も考えていた。美里のこともちろんあるが、自分の年齢を考えると、いつまでクラブで雇ってもらえるか怪しかった。

結局一日考えただけで結論を出した。クラブでの引き留めもなかった。よかったねといわれただけだ。周りも年増ホステスの行く末を案じていたのだと思い知らされた。

昨年の春、美里が中学に上がるのを機に、今のアパートに引っ越した。それまでの部屋では『べんてん亭』まで遠すぎるからだ。これまでとは違い、仕事は早朝から始まる。六時に起きて、六時半には自転車に乗ってアパートを出る。緑色の自転車だ。

「例の高校の先生、今朝も来た？」休憩している時に小代子が問いかけてきた。

「来たわよ。だって、毎日来るじゃない」

靖子が答えると、小代子は亭主と顔を見合わせてにやにやした。

「何よ、気持ち悪いなあ」

「いや、べつに変な意味じゃないんだって。ただね、あの先生、あんたのことが好きなんじゃないかって、昨日話してたのよ」

「えー」靖子は湯飲み茶碗を持ったまま、身をのけぞらせてみせた。

「だってさ、昨日はあんた休みだったでしょ。そうしたら、あの先生、来なかったんだよ。毎日来るのに、あんたがいない時だけ来ないって、おかしいと思わない？」

「たまたまでしょ、そんなの」

「それが、そうじゃないんじゃないかって……ねえ」小代子は亭主に同意を求めた。

米沢が笑いながら頷いた。

「こいつによるとね、ずっとそうだっていうんだよ。靖子ちゃんが休みの日には、あの先生は弁当を買いに来ない。前からそうじゃないかと思ってたけど、昨日確信したってね」

「だってあたしなんて、定休日以外は休む日はばらばらよ。曜日だって決まってないし」

「だから余計に怪しいんだってば。あの先生、隣に住んでるんでしょ。たぶんあんたが出ていくのを見て、休みかどうかを確かめてるんだと思うな」

「えー、でも、家を出る時に会ったことなんてないわよ」

「どっかから見てるんじゃないの。窓からとか」

「窓からは見えないと思うけどなあ」

「まあいいじゃないか。本当に気があるんなら、そのうちに何かいってくるよ。とにかくうちとしちゃあ、靖子ちゃんのおかげで固定客がついたわけだから、ありがたい話だ。さすがは錦糸町でならしただけのことはある」米沢が締めくくるようにいった。

靖子は苦笑を浮かべ、湯飲み茶碗の残りを飲み干した。噂の高校教師のことを思い出していた。

石神という名字だった。引っ越した夜に挨拶に行った。高校の教師だということはその時に聞いた。ずんぐりした体型で、顔も丸く、大きい。そのくせ目は糸のように細い。頭髪は短くて薄く、そのせいで五十歳近くに見えるが、実際はもっと若いのかもしれない。身なりは気にしないたちらしく、いつも同じような服ばかり着ている。この冬は、大抵茶色のセーターを着ていた。

そのうえにコートを羽織った格好が、弁当を買いに来る時の服装だ。それでも洗濯はまめにしているらしく、小さなベランダには時々洗濯物が干してある。独身のようだが、おそらく結婚経験はないのだろうと靖子は想像している。

あの教師が自分に気があると聞かされても、ぴんと来るものがまるでなかった。靖子にとっては、アパートの壁のひび割れのように、その存在を知りつつも、特別に意識したことはなく、また意識する必要もないものと思い込んでいたからだ。

会えば挨拶するし、アパートの管理面のことなどで相談したこともある。しかし彼について靖子は殆ど何も知らなかった。最近になって、数学の教師だと知った程度だ。ドアの前に、古い数学の参考書類が、紐で縛って置いてあるのを見たのだ。

デートなんかに誘ってこなければいいけれど、と靖子は思った。しかしその直後にひとりで苦笑した。あのいかにも堅物そうな人物がデートに誘ってくるとしたら、一体どんな顔をして切り出すのだろうと思った。

いつものように昼前から再び忙しくなり、正午を過ぎてピークになった。一段落したのは午後一時を回ってからだ。それもまたいつものパターンだった。

靖子がレジスターの紙を入れ替えている時だった。ガラス戸が開き、誰かが入ってきた。いらっしゃいませ、と声をかけながら彼女は客の顔を見た。その直後、彼女は凍りついた。目を見開き、声を出せなくなっていた。

「元気そうだな」男は笑いかけてきた。だがその目はどす黒く濁って見えた。

「あんた……どうしてここに」

「そんなに驚くことはないだろう。俺だってその気になれば、別れた女房の居場所ぐらいは突き止められる」男は紺色のジャンパーのポケットに両手を突っ込み、店内を見回した。何かを物色するような目つきだった。

「今さら何の用？」靖子は鋭く、しかし声をひそめていった。奥にいる米沢夫妻に気づかれたくなかった。

「そう目くじら立てるなって。久しぶりに会ったんだから、嘘でも笑ってみせたらどうなんだ。ああ？」男は嫌な笑みを浮かべたままだった。

「用がないなら帰って」

「用があるから来たんだよ。折り入って話がある。ちょっとだけ抜けられないか」

「何馬鹿なこといってるの。仕事中だってことは、見ればわかるでしょ」そう答えてから靖子は後悔した。仕事中でなければ話を聞いてもいい、という意味に受け取られてしまうからだ。

男は舌なめずりをした。「仕事は何時に終わるんだ」

「あんたの話を聞く気なんかないよ。お願いだから帰って。もう二度と来ないで」

「冷たいな」

「当たり前でしょ」

靖子は表に目を向けた。客が来てくれないかと思ったのだが、入ってきそうな人間はいない。

「おまえにそんなに冷たくされたんじゃ仕方ないな。じゃあ、あっちに行ってみるか」男は首の後ろをこすった。

「何よ、あっちって」嫌な予感がした。

「女房が話を聞いてくれないなら、娘に会うしかないだろ。中学校はこの近くだったな」男は、靖子が恐れていたとおりのことを口にした。

「やめてよ、あの子に会うのは」

「じゃあ、おまえが何とかしろよ。俺はどっちだっていいんだ」

靖子はため息をついた。とにかくこの男を追い払いたかった。

「仕事は六時までよ」

「早朝から六時までかよ。えらく長く働かされるんだな」

「あんたには関係ないでしょ」

「じゃあ、六時にまたここへ来ればいいんだな」

「ここへは来ないで。前の通りを右に真っ直ぐ行ったら、大きな交差点がある。その手前にファミレスがあるから、そこへ六時半に来て」

「わかった。絶対に来てくれよ。もし来なかったら――」

「行くわよ。だから、早く出ていって」

「わかったよ。つれないな」男はもう一度店内を見回してから店を出た。立ち去る時、ガラス戸を乱暴に閉めた。

靖子は額《ひたい》に手を当てた。軽い頭痛が始まっていた。吐き気もする。絶望感がゆっくりと彼女の胸に広がっていった。

富樫慎二と結婚したのは八年前のことだ。当時、靖子は赤坂でホステスをしていた。その店に通ってくる客の一人だった。

外車のセールスをしているという富樫は、羽振りがよかった。高価なものをプレゼントしてくれるし、高級レストランにも連れていってくれた。だから彼からプロポーズされた時には、まるで『プリティ・ウーマン』のジュリア・ロバーツになったような気がしたものだ。靖子は最初の結婚に失敗し、働きながら一人娘を育てるという生活に疲れていた。

結婚当初は幸せだった。富樫の収入が安定していたから、靖子は水商売から足を洗うことができた。また彼は美里をかわいがってもくれた。美里も彼を父親として受けとめようと努力しているように見えた。

しかし破綻は突然やってきた。富樫が会社をくびになったのだ。原因は、長年に亘る使い込みがばれたことだった。会社から訴えられなかったのは、管理責任を問われるのを恐れた上司たちが、巧妙に事態を隠蔽《いんぺい》したからだ。何のことはない。富樫が赤坂でばらまいていたのは、すべて汚れた金だったのだ。

それ以来、富樫は人間が変わった。いや、本性を現したというべきかもしれない。働かず、一日中ごろごろしているか、ギャンブルに出かけるかだった。そのことで文句をいうと、暴力をふるうようになった。酒の量も増えた。いつも酔っていて、凶暴な目をぎらつかせていた。

当然の成り行きとして、再び靖子が働きに出ることになった。しかしそうして稼いだ金を、富樫は暴力で奪った。彼女が金を隠すようになると、給料日に彼女よりも先に店へ出向き、勝手に受け取るという行為にまで及んだ。

美里はすっかり義父を怖がるようになった。家で彼と二人きりになるのが嫌で、靖子の働く店までやってきたことさえあった。

靖子は富樫に離婚を申し出たが、彼はまるで聞く耳を持たなかった。しつこく食い下がると、またしても暴力をふるわれるという有様だった。悩んだ末に彼女は、客に紹介してもらった弁護士に相談した。その弁護士の働きかけで、富樫は渋々離婚届に判を押した。裁判になれば自分に勝ち目はなく、さらに慰謝料を請求されるだろうということは、彼にもわかっていたようだ。

しかし問題はそれだけでは解決しなかった。離婚後も富樫はしばしば靖子たちの前に姿を見せた。用件は決まっていて、自分はこれから心を入れ替えて仕事に励むから、どうか復縁を検討してくれないか、というのだった。靖子が彼を避けると、彼は美里に近づいた。学校の外で待ち伏せすることもあった。

土下座までする彼の姿を見ていると、芝居とわかりつつ、哀れに思えた。一度は夫婦になった仲だけに、どこかに情が残っていたのかもしれない。つい、靖子は金を渡した。それが間違いだった。味をしめた富樫は、さらに頻繁にやってくるようになった。卑屈な態度をとりつつも、厚かましさは増していくようだった。

靖子は店を移り、住所も変えた。かわいそうだと思いながらも美里を転校させた。錦糸町のクラブで働くようになってからは、富樫も現れなくなった。それからさらに引っ越しをし、『べんてん亭』で働き始めて一年近くになる。もはやあの疫病神と関わり合うことはないと信じていた。米沢夫妻には迷惑をかけられない。美里にも気づかれてはならない。何としてでも自分一人の力であの男が二度とやってこないようにしなければ——壁の時計を睨みながら靖子は決意を固めた。

約束の時刻になると、靖子はファミリーレストランに出向いた。富樫は窓際の席で煙草を吸っていた。テーブルの上にはコーヒーカップが載っていた。靖子は席につきながら、ウェイトレスにココアを注文した。他のソフトドリンクならおかわりが無料だが、長居する気はなかった。

「それで、用件というのは？」富樫を睨みながら訊いた。

彼はふっと唇を緩めた。「まあ、そう急《せ》くなよ」

「あたしだっていろいろと忙しいんだから、用があるなら早くいって」

「靖子」富樫が手を伸ばしてきた。テーブルに置いた彼女の手に触れようとしているらしい。それを察知し、彼女が手を引くと、彼は口元を曲げた。「機嫌、悪いな」

「当たり前でしょ。一体何の用があって、あたしのことをつけ回すのよ」

「そんな言い方しなくたっていいだろ。こう見えても、俺だって真剣なんだぜ」

「何が真剣なのよ」

ウェイトレスがココアを運んできた。靖子はすぐにカップに手を伸ばした。早く飲み終えて、さっさと席を立とうと考えていた。

「おまえ、まだ独りなんだろ？」富樫が上目遣いした。

「どうでもいいでしょ、そんなこと」

「女一人で娘を育てていくなんてのは大変だぜ。これからますます金だってかかる。あんな弁当屋で働いてたって、将来の保証なんかないだろ。だからさ、もう一度考え直さないか。俺だって、昔とは違うんだ」

「何が違うの？　じゃあ訊くけど、ちゃんと働いてるの？」

「働くさ。仕事はもう見つけてあるんだ」

「今の時点じゃ働いてないってことでしょ」

「だから仕事はあるといってるだろ。来月から働くことになってる。新しい会社だけど、軌道に乗ったら、おまえたちにも楽をさせてやれるはずだ」

「結構よ。それだけ稼げるんなら、ほかの相手を探したらいいでしょ。お願いだから、もうあたしたちには構わないで」

「靖子、俺にはおまえが必要なんだよ」

富樫が再び手を伸ばしてきて、カップを持っている彼女の手を握ろうとした。触らないでよ、といって彼女はその手をふりほどいた。その拍子にカップの中身が少しこぼれ、富樫の手にかかった。熱《あつ》っ、といって彼は手を引っ込めた。次に彼女を見つめた目には憎悪の色があった。

「調子のいいことといわないで。そんな言葉をあたしが信じるとでも思ってるの？　前にもいったけど、あたしにはあんたとよりを戻すつもりなんて、これっぽっちもないからね。いい加減に諦めて。わかった？」

靖子は立ち上がった。富樫は無言で彼女を見つめている。その目を無視し、彼女はココア代をテーブルに置くと、出口に向かった。

レストランを出た後は、そばに止めてあった自転車に跨《また》がり、すぐにこぎだした。ぐずぐずしていて富樫が追ってきたら面倒だと思った。清洲橋通りを直進し、清洲橋を渡ったところで左折した。

いうべきことはいったつもりだが、あれで富樫が諦めるとは思えなかった。近いうちにまた店に現れるだろう。靖子につきまとい、やがては店に迷惑がかかる事態を引き起こすことになる。美里の通う中学校にも現れるかもしれない。あの男は靖子が根負けするのを待っているのだ。根負けして金を出すとたかをくくっている。

アパートに戻り、夕食の支度を始めた。といっても、店でもらってきた惣菜の残りを温め直す程度だ。それでも靖子の手はしばしば止まった。嫌な想像ばかりが膨らみ、つい上の空になってしまうからだ。

そろそろ美里が帰ってくる頃だった。バドミントン部に入った彼女は、練習の後、部員仲間たちとひとしきりおしゃべりをしてから帰路につくという。だから家に帰るのは、大抵七時を過ぎている。

突然ドアホンが鳴った。靖子は訝《いぶか》しく思いながら玄関に出ていった。美里は鍵を持っているはずだ。

「はい」靖子はドアの内側から訊いた。「どなた？」

少し間があってから声が戻ってきた。「俺だよ」

目の前が暗くなるのを靖子は感じた。嫌な予感は外れなかった。富樫はすでにこのアパートも嗅ぎつけていたのだ。たぶん、『べんてん亭』から彼女の後をつけたことがあるのだろう。

靖子が答えないでいると、富樫はドアを叩き始めた。「おい」

彼女は頭を振りながら鍵を外した。しかしドアチェーンはつけたままにしておいた。

ドアを十センチほど開けると、すぐ向こうに富樫の顔があった。にっと笑ってきた。歯が黄色かった。

「帰ってよ。なんでこんなところまで来るのよ」

「俺の話はまだ終わっちゃいないんだよ。おまえは相変わらず気が短いな」

「もうつきまとわないでっていってるでしょ」

「話ぐらい聞いたらどうなんだよ。とにかく中に入れてくれ」

「嫌よ。帰って」

「入れてくれないなら、ここで待ってるぜ。そろそろ美里が帰ってくる頃だろ。おまえと話ができないなら、あいつとするよ」

「あの子は関係ないでしょ」

「だったら入れてくれ」

「警察に連絡するわよ」

「しろよ、勝手に。別れた女房に会いにきて何が悪い。警官だって、俺の味方をしてくれるさ。

奥さん、部屋に入れてやるぐらいのことはいいじゃないですかってな」

靖子は唇を嚙んだ。悔しいが富樫のいうとおりだった。今までにも警官を呼んだことはある。しかし彼等が彼女を助けてくれたことは一度もない。

それに、こんなところで騒ぎを起こしたくなかった。保証人なしで入居させてもらっているだけに、少しでも妙な噂がたてば追い出されるおそれがあった。

「すぐに帰ってよ」

「わかってるよ」富樫は勝ち誇った顔になった。

ドアチェーンを外した後、改めてドアを開けた。富樫はじろじろと室内を眺めながら靴を脱いだ。間取りは2Kだ。入ってすぐのところが六畳の和室で、右側に小さな台所がついている。奥に四畳半の和室があり、その向こうがベランダだ。

「狭くて古いけど、まあまあいい部屋じゃねえか」富樫は図々しく、六畳間の中央に据えられている炬燵《こたつ》に足を入れた。「なんだよ、スイッチが入ってねえぞ」そういうと勝手に電源スイッチを入れた。

「あんたの魂胆はわかってるわよ」靖子は立ったまま富樫を見下ろした。「なんだかんだいってるけど、結局はお金でしょ」

「なんだよ。どういう意味だい」富樫はジャンパーのポケットからセブンスターの箱を出した。使い捨てライターで火をつけてから周辺を見回した。灰皿がないことに気づいたようだ。身体を伸ばし、不燃物用ゴミ袋の中から空き缶を見つけ出すと、それに灰を落とした。

「あたしに金をたかろうとしてるだけでしょってこと。要するにそうなんでしょ」

「まあ、おまえがそう思ってんなら、それでもいいけどさ」

「お金なんて、一円も出さないから」

「ふうんそうかい」

「だから帰って。もう来ないで」

靖子がいい放った時、ドアが勢いよく開き、制服姿の美里が入ってきた。彼女は来客の存在に気づき、一旦立ち尽くした。それから客の正体を知り、怯《おび》えと失望の混じった表情を浮かべた。その手からバドミントンのラケットが落ちた。

「美里、久しぶりだな。大きくなったじゃないか」富樫が能天気な声を出した。

美里は靖子をちらりと見ると、運動靴を脱ぎ、無言で部屋に上がってきた。そのまま奥の部屋まで進むと、仕切の襖《ふすま》をぴったりと閉じた。

富樫がゆっくりと口を開いた。

「おまえがどう思ってるのかは知らないが、俺はただやり直したいだけなんだ。それを頼むのが、そんなに悪いことかね」

「あたしにはそんな気はないといってるでしょ。あんただって、あたしが承知するなんて思っちゃいないでしょ。ただ、あたしにつきまとう理由にしてるだけじゃない」

図星のはずだった。しかし富樫はこれには答えず、テレビのリモコンのスイッチを入れた。アニメ番組が始まった。

靖子は吐息をつき、台所に行った。流し台の横の引き出しに財布を入れてある。そこから一万円札を二枚抜いた。

「これでもう勘弁して」炬燵の上に置いた。

「何だよそれ。金は出さないんじゃなかったのか」

「これが最後よ」

「いらねえよ、そんなもの」

「手ぶらで帰る気はないんでしょ。もっと欲しいんだろうけど、うちだって苦しいんだから」

富樫は二万円を見つめ、それから靖子の顔を眺めた。

「仕方ねえな。じゃあ、帰ってやるよ。いっとくけど、俺は金はいらないっていったんだからな。それをおまえが無理に渡したんだ」

富樫は一万円札をジャンパーのポケットにねじ込んだ。煙草の吸い殻を空き缶の中に放り込み、炬燵から抜け出した。だが玄関には向かわず、奥の部屋に近づいた。襖をいきなり開けた。美里の、ひっという声が聞こえた。

「ちょっとあんた、何やってんのよ」靖子は声を尖《とが》らせた。

「義理の娘に挨拶ぐらいしたってかまわねえだろ」

「今は娘でも何でもないじゃないの」

「まあいいじゃねえか。じゃあ美里、またな」富樫は部屋の奥に向かっていった。美里がどうしているのかは靖子には見えない。

富樫はようやく玄関に向かった。「あれはいい女になるぜ。楽しみだな」

「何、くだらないこといってるのよ」

「くだらなくはねえぜ。あと三年もすれば稼げるようになる。どこでも雇ってくれるよ」

「ふざけないで。早く帰って」

「帰るよ。今日のところはな」

「もう絶対に来ないで」

「さあ、それはどうかな」

「あんた……」

「いっておくがな、おまえは俺から逃げられないんだ。諦めるのはそっちのほうだよ」富樫は低く笑った。そして靴を履くために腰を屈めた。

その時だった。靖子の背後で物音がした。振り返った時には、制服姿の美里がすぐそばまで来ていた。彼女は何かを振り上げていた。

靖子は止めることも、声を出すこともできなかった。美里は富樫の後頭部を殴りつけていた。鈍い音がして、富樫はその場に倒れた。

2

美里の手から何かが落ちた。銅製の花瓶だった。『べんてん亭』の開店祝いのお返しとしてもらったものだ。

「美里、あんた……」靖子は娘の顔を見つめた。

美里は無表情だった。魂が抜けたように動かなくなっていた。

だが次の瞬間、その目が大きく開かれた。美里は靖子の背後を凝視していた。

靖子が振り向くと、富樫がふらつきながら立ち上がるところだった。顔をしかめ、後頭部を押さえている。

「おまえら……」呻《うめ》きながら憎悪の表情を剝き出しにした。その目は美里を見据えている。左右によろめいた後、彼女のほうに向かって大きく足を踏み出した。

靖子は美里を守ろうと、富樫の前に立った。「やめてっ」

「どけっ」富樫は靖子の腕を摑《つか》むと、思いきり横に振った。

靖子は壁まで飛ばされ、腰を激しく打った。

逃げようとする美里の肩を富樫は摑んだ。大人の男の体重をかけられ、美里はつぶされるようにしゃがみこんだ。その上に富樫は馬乗りになった。美里の髪を摑み、右手で頰を殴った。

「てめえ、ぶっ殺してやる」富樫は獣の声を出した。

殺される、と靖子は思った。このままだと本当に美里は殺されてしまう――。

靖子は自分の周りを見た。目に入ったのはホーム炬燵のコードだった。彼女はそれをコンセントから引き抜いた。一方の端は炬燵に繫がれている。しかし彼女はそのままコードを持って立ち上がった。

美里を組み敷いて吼《ほ》えている富樫の背後に回り、輪にしたコードをその首にかけると、思いきり引っ張った。

ぐあっと唸《うな》り声をあげ、富樫は背中から落ちた。何が起きたか察知したらしく、懸命にコードに指をかけようとしている。彼女は必死で引いた。もしここで手を離したら、二度とチャンスはない。それどころかこの男は、それこそ疫病神の如く自分たちに取り憑《つ》くに違いないと思った。

しかし力比べになったら靖子に勝ち目はない。手の中でコードが滑った。

その時だった。美里がコードにかけられた富樫の指を引き離しにかかった。さらに男の上に乗り、彼が暴れるのを必死で止めようとした。

「おかあさん、はやくっ、はやくっ」美里は叫んだ。

もはや躊躇《ためら》っている場合ではなかった。靖子はきつく目を閉じ、両腕に渾身の力を込めた。彼女の心臓は大きく鼓動していた。どっくどっくと血の流れるのを聞きながら、コードを引っ張り続けた。

どれぐらいそうしていたのか、自分ではわからなかった。我に返ったのは、おかあさん、おかあさん、と小さく呼びかける声が聞こえてきたからだ。

靖子はゆっくりと目を開けた。彼女はまだコードを握りしめていた。

すぐ目の前に富樫の頭部があった。ぎょろりと開いた目は灰色で、虚空を睨んでいるように見えた。その顔色は鬱血のため青黒くなっていた。首にくいこんだコードは、皮膚に濃い色の痕をつけていた。

富樫は動かなかった。唇から涎《よだれ》が出ていた。鼻からも液体が漏れていた。ひいい、と声を上げ、靖子はコードをほうりだした。ごん、と音をたてて富樫の頭部は畳に落ちた。それでも彼はぴくりともしなかった。

美里がおそるおそるといった感じで、男の上から降りた。制服のスカートがくしゃくしゃになっている。座り込み、壁にもたれかかった。その目は富樫を見ている。

しばらく母娘は無言だった。二人の視線は動かない男に張り付いたままだった。蛍光灯のジーという音だけがやけに大きく靖子の耳には聞こえた。

「どうしよう……」靖子は呟きを漏らした。頭が空白のままだった。「殺しちゃった」

「おかあさん……」

その声に、靖子は娘に目を向けた。美里の頰は真っ白だった。しかし目は充血しており、その下には涙の跡があった。彼女がいつ涙を流したのか、靖子にはわからなかった。

靖子はもう一度富樫を見た。息を吹き返してほしいようなそうでないような、複雑な気持ちが彼女の胸中を支配していた。しかし彼が生き返らないことは確実のようだった。

「こいつが……悪いんだよ」美里は足を曲げ、両膝を抱えた。その間に顔を埋め、すすり泣きを始めた。

どうしよう――靖子がもう一度呟きかけた時だった。ドアホンが鳴った。彼女は驚きのあまり、痙攣《けいれん》するように全身を震わせた。

美里も顔を上げた。今度は頰が涙で濡れていた。母娘は目を合わせた。お互いが相手に問いかけていた。こんな時に誰だろう――。

続いてドアをノックする音がした。そして男の声。「花岡さん」

聞いたことのある声だった。しかし誰かは咄嗟《とっさ》に思い出せない。靖子は金縛りにあったように動けなかった。娘と顔を見合わせ続けた。

再びノックされた。「花岡さん、花岡さん」

ドアの向こうの人間は、靖子たちが部屋にいることを知っているようだ。出ていかないわけにはいかなかった。だがこの状態ではドアを開けられない。

「あんたは奥にいなさい。襖を閉めて、絶対に出てきちゃだめ」靖子は小声で美里に命じていた。

ようやく思考力を取り戻しつつあった。

またしてもノックの音。靖子は大きく息を吸い込んだ。

「はあい」平静を装った声を出した。必死の演技だった。「どなた?」

「あ、隣の石神です」

それを聞き、靖子はどきりとした。先程から自分たちのたてている物音は、尋常なものではなかったはずだ。隣人が不審に思わないはずはなかった。それで石神も様子を窺《うかが》う気になったのだろう。

「はあい、ちょっと待ってくださあい」日常的な声を発したつもりだったが、うまくいったかどうかは靖子自身にはわからなかった。

美里は奥の部屋に入り、すでに襖を閉めていた。靖子は富樫の死体を見た。これを何とかしなければならない。

　ホーム炬燵の位置が大きくずれていた。コードを引っ張ったせいだろう。彼女は炬燵をさらに動かし、その布団で死体を覆い隠した。位置がやや不自然だが、やむをえない。

　靖子は自分の身なりに異状がないことを確かめてから、靴脱ぎに下りた。富樫の汚れた靴が目に留まった。彼女はそれを下駄箱の下に押し込んだ。

　音をたてぬように、そっとドアチェーンを繋いだ。鍵はかかっていなかった。石神に開けられなくてよかったと胸を撫で下ろした。

　ドアを開けると、石神の丸く大きな顔があった。糸のように細い目が靖子に向けられていた。彼は無表情だった。それが不気味に感じられた。

「あ……あの……何でしょうか」靖子は笑いかけた。頰が引きつるのがわかった。

「すごい音がしたものですから」石神は相変わらず感情の読みにくい顔でいった。「何かあったんですか」

「いえ、別に何でも」彼女は大きくかぶりを振った。「すみません、御迷惑をおかけしちゃって」

「何もなければいいんですが」

　石神の細い目が室内に向けられているのを靖子は見た。全身が、かっと熱くなった。

「あの、ゴキブリが……」彼女は思いついたことを口走っていた。

「ゴキブリ？」

「ええ。ゴキブリが出たものですから、その……娘と二人で退治しようと……それで大騒ぎしちやったんです」

「殺したんですか」

「えっ……」石神の問いに、靖子は顔を強張《こわば》らせた。

「ゴキブリは始末したんですか」

「あ……はい。それはもうちゃんと。もう大丈夫です。はい」靖子は何度も頷いた。

「そうですか。もし私で何かお役に立てることがあればいってください」

「ありがとうございます。うるさくして、本当に申し訳ありませんでした」靖子は頭を下げ、ドアを閉めた。鍵もかけた。石神が自分の部屋に戻り、ドアを閉める音を聞くと、ふうーっと大きく吐息をついた。思わずその場にしゃがみこんだ。

背後で襖の開く音がした。続いて、おかあさん、と美里が声をかけてきた。

靖子はのろのろと立ち上がった。炬燵の布団の膨らみを見て、改めて絶望を感じた。

「仕方……ないね」彼女はようやくいった。

「どうする?」美里が上目遣いで母親を見つめてくる。

「どうしようもないものね。警察に……電話するよ」

「自首するの?」

「だって、そうするしかないもの。死んじゃった者は、もう生き返らないし」

「自首したら、おかあさんはどうなる?」

「さあねえ……」靖子は髪をかきあげた。頭が乱れていたことに気づいた。隣の数学教師は変に思ったかもしれない。しかしもはやどうでもいいことだと思った。

「刑務所に入らなきゃいけないんじゃないの？」娘がなおも訊いてくる。

「そりゃあ、たぶん、ね」靖子は唇を緩めていた。諦めの笑みだった。「何しろ、人を殺しちゃったんだもの」

美里は激しくかぶりを振った。「そんなのおかしいよ」

「どうして？」

「だって、おかあさんは悪くないのに。全部、こいつが悪いんじゃない。もう今は関係ないはずなのに、いつまでもおかあさんやあたしを苦しめて……。こんなやつのために、刑務所になんて入らなくていいよ」

「そんなことといったって、人殺しは人殺しだから」

不思議なことに、美里に説明しているうちに靖子の気持ちは落ち着いてきた。物事を冷静に考えられるようにもなってきた。すると、ますます自分にはほかに選ぶ道はないと思えてきた。美里を殺人犯の娘にはしたくない。しかしその事実から逃れられないのなら、せめていくらかでも世間から冷たく見られないで済む道を選ばねばならない。

靖子は部屋の隅に転がっているコードレスホンに目を向けた。それに手を伸ばした。

「だめだよっ」美里が素早く駆け寄ってきて、母親の手から電話機を奪おうとした。

「離しなさい」

「だめだって」美里は靖子の手首を摑んできた。バドミントンをしているせいか、力は強かった。

「お願いだから離して」

「いやだ、おかあさんにそんなことさせない。だったら、あたしが自首する」

「何を馬鹿なこといってるの」

「だって、最初に殴ったのはあたしだもん。おかあさんはあたしを助けようとしただけだもん。あたしだって途中からおかあさんを手伝ったし、あたしも人殺しだよ」

美里の言葉に、靖子はぎくりとした。その瞬間、電話を持つ手の力が緩んだ。美里はその機を逃さず、電話を奪った。隠すように抱きかかえると、部屋の隅に行き、靖子に背中を向けた。

警察は——靖子は思考を巡らせた。

刑事たちは果たして自分の話を信じてくれるだろうか。自分が一人で富樫を殺したのだという供述に疑問を差し挟んでこないだろうか。何もかも鵜呑《うの》みにしてくれるだろうか。

警察は徹底的に調べるに違いない。テレビドラマで、「裏づけをとる」という台詞《せりふ》を聞いたことがある。犯人の言葉が真実かどうかを、あらゆる方法を使って確認するのだ。聞き込み、科学捜査、その他諸々——。

目の前が暗くなった。靖子は刑事からどんなに嚇《おど》されても、美里のやったことをしゃべらない自信はある。しかし刑事たちが突き止めてしまえばおしまいだ。娘だけは見逃してくれと懇願したところで聞き入れられるはずがない。

自分一人で殺したように偽装できないものかと靖子は考えたが、すぐにそれを放棄した。素人が下手な小細工をしたところで、簡単に見破られそうな気がした。

とはいえ、美里だけは守らねばならない、と靖子は思った。自分のような女が母親であるがため、幼い頃から殆どいい思いをしたことがないこのかわいそうな娘だけは、命に替えてもこれ以上不幸にしてはならない。

ではどうすればいいだろう。何かいい方法があるだろうか。

その時だった。美里が抱えていた電話が鳴りだした。美里は大きく目を開けて靖子を見た。

靖子は黙って手を出した。美里は迷った顔をした後、ゆっくりと電話機を差し出した。

呼吸を整えてから、靖子は通話ボタンを押した。

「はい、もしもし、花岡ですけど」

「あの、隣の石神です」

「あ……」またあの教師だ。今度は何の用だろう。「何でしょうか」

「いや、あの、どうされるのかなと思いまして」

何を訊かれているのかわからなかった。

「何がですか」

「ですから」石神は少し間を置いてから続けた。「もし警察に届けるということでしたら、何もいいません。でも、もしそのつもりがないのなら、何かお手伝いできることがあるんじゃないかと思いまして」

「えっ？」靖子は混乱した。この男は一体何をしゃべっているのだ。

「とりあえず」石神が抑えた声でいった。「今からそちらにお伺いしてもいいですか」

「えっ、いえ、それは……あの、困ります」靖子の全身から冷や汗が吹き出した。

「花岡さん」石神が呼びかけてきた。「女性だけで死体を始末するのは無理ですよ」

靖子は声を失った。なぜこの男は知っているのだ。

聞こえたのだ、と彼女は思った。先程からの美里とのやりとりが隣に聞こえたに違いない。いやもしかしたら、富樫と揉み合った時から聞こえていたのかもしれない。

もうだめだ、と彼女は観念した。逃げ道などどこにもない。警察に自首するしかない。美里が関わっていることは、何としてでも隠し続けよう。

「花岡さん、聞いておられますか」

「あ、はい。聞いています」

「そちらに行ってもいいですか」

「えっ、でも……」電話を耳に当てたまま靖子は娘を見た。美里は怯えと不安の入り交じった顔をしていた。母親が誰と何の話をしているのか、不思議に思っているのだろう。

もし石神が隣で聞き耳を立てていたのなら、美里が殺人に無関係でないことも知っているわけだ。彼が警察にそのことを話せば、靖子がどんなに否認したところで、刑事は信用してくれないだろう。

靖子は腹をくくった。

「わかりました。あたしからお願いしたいこともありますので、じゃあ、ちょっと来ていただけますか」

「はい。今すぐに行きます」石神はいった。

靖子が電話を切ると同時に美里が訊いてきた。「誰から？」

「隣の先生よ。石神さん」

「どうしてあの人が……」

「説明は後でするから、あんたは奥にいなさい。襖も閉めて。早く」

美里はわけがわからないという顔で奥の部屋に行った。彼女が襖を閉めるのとほぼ同時に、隣の部屋から石神が出てくる物音が聞こえた。

やがてドアホンが鳴った。靖子は靴脱ぎに下り、ドアの鍵とチェーンを外した。

ドアを開けると石神が神妙な顔つきで立っていた。なぜか紺色のジャージ姿だった。さっきはこんなものは着ていなかった。

「どうぞ」

「お邪魔します」石神は一礼して入ってきた。

靖子が鍵をかけている間に彼は部屋に上がり、何のためらいも見せずに炬燵の布団を剝がした。そこに死体があることを確信しているような動きだった。

彼は片膝をついた格好で富樫の死体を眺めていた。何事かをじっと考えている表情だ。その手に軍手がはめられていることに、靖子は気づいた。

靖子はおそるおそる死体に目を向けた。富樫の顔からはすっかり精気が消えていた。唇の下で涎とも汚物ともつかぬものが乾いて固まっている。

「あの……やっぱり聞こえたんですか」靖子は訊いてみた。

「聞こえた？　何がですか」

「だから、あたしたちのやりとりです。それで、電話をかけてこられたんでしょう？」

すると石神は無表情な顔を靖子に向けてきた。

「いや、話し声は何も聞こえませんでしたよ。このアパート、案外防音だけはしっかりしてるんです。それが気に入って、ここに決めたぐらいですから」

「じゃあどうして……」

「事態に気づいたのか、ですか」

ええ、と靖子は頷いた。

石神は部屋の隅を指差した。空き缶が転がっている。その口から灰がこぼれ出ていた。

「さっき伺った時、まだ煙草の臭いが残ってました。だからお客さんがいるのかなと思ったのですが、それらしき履き物がなかった。そのくせ炬燵の中に誰かいるようでした。コードも挿さずにね。隠れるのだとしたら奥の部屋がある。つまり炬燵の中の人物は隠れているのではなく隠されている、ということになる。その前の暴れたような物音や、あなたの髪が珍しく乱れていたことを踏まえれば、何が起きたのかは想像がつきます。それからもう一つ、このアパートにはゴキブリは出ません。長年住んでいる私がいうのだからたしかです」

表情を変えずに淡々と語る石神の口元を、靖子は茫然と見つめていた。この人はきっと学校でもこんな調子で生徒に説明しているに違いない、と、まるで関係のない感想が浮かんだ。

石神からじっと見られていることに気づき、彼女は目をそらした。自分のことも観察されているような気がした。

恐ろしく冷静で頭のいい人なのだ、と思った。そうでなければ、ドアの隙間からちらりと見ただけで、これだけの推理を組み立てられるはずがない。だが同時に靖子は安堵していた。どうやら石神は、出来事の詳細を知っているわけではなさそうだ。

「別れた夫なんです」彼女はいった。「離婚して何年も経つのに、未《いま》だにつきまとってくるんです。お金を渡さないと帰ってくれなくて……。今日もそんなふうでした。もう我慢ができなくて、それでかっとなって……」そこまでしゃべり、後は俯《うつむ》いた。富樫を殺した時の様子は話せなかった。あくまでも美里は無関係だということにしなければならない。

「自首するつもりですか」

「そうするしかないと思います。関係のない美里は本当にかわいそうなんですけど」

彼女がそこまでしゃべった時、襖が勢いよく開いた。その向こうに美里が立っていた。

「そんなのだめだよ。絶対にだめだからね」

「美里、あんたは黙ってなさい」

「いやだ。そんなのいやだ。おじさん、聞いてよ。この男を殺したのはね――」

「みさとっ」靖子は声を上げた。

美里はぴくっと顎を引き、恨めしそうに母親を睨んだ。目が真っ赤だった。

「花岡さん」石神が抑揚のない声を出した。「私には隠さなくていいです」

「何も隠してなんか……」

「あなた一人で殺したのでないことはわかっています。お嬢さんも手伝ったんでしょう」

靖子はあわてて首を横に振った。

「何をいうんですか。あたし一人でやったことです。この子はついさっき帰ってきたところで……。あの、あたしが殺した後、すぐに帰ってきたんです。だから、何も関係ないんです」

だが石神が彼女の言葉を信じている様子はなかった。吐息をつき、美里のほうを見た。

「そういう嘘をつくのは、お嬢さんが辛いと思うけどなあ」

「嘘じゃないです。信じてください」靖子は石神の膝に手を置いた。

彼はその手をじっと見つめた後、死体に目を向けた。それから小さく首を捻った。

「問題は警察がどう見るか、です。その嘘は通用しないと思いますよ」

「どうしてですか」そういってから、こんなふうに訊くこと自体、嘘を認めたようなものだと靖子は気づいた。

石神は死体の右手を指差した。

「手首や手の甲に内出血の痕がある。よく見ると指の形をしている。おそらくこの男性は後ろから首を絞められて、必死でそれを外そうとしたんでしょう。それをさせまいとして、彼の手を摑んだ痕だと思われます。一目瞭然というやつです」

「だからそれもあたしがやったんです」

「花岡さん、それは無理ですよ」

「どうしてですか」

「だって、後ろから首を絞めたんでしょう？　その上で彼の手を摑むなんてことは絶対にできません。腕が四本必要になってくる」

石神の説明に、靖子は返す言葉を失った。出口のないトンネルに入ったような気分だ。

彼女はがっくりと項垂《うなだ》れた。一瞥《いちべつ》しただけの石神がここまで見抜けるのだから、警察ならばさらに厳密に調べ抜くだろう。

「あたし、どうしても美里だけは巻き込みたくないんです。この子だけは助けたい……」

「あたしだって、おかあさんを刑務所に入れたくないよ」美里が泣き声でいった。

靖子は両手で顔を覆った。「一体どうしたら……」

空気がずっしりと重くなったような気がした。その重みに靖子は潰されそうだった。

「おじさん……」美里が口を開いた。「おじさんは、おかあさんに自首を勧めにきたんじゃないの？」

石神は一拍置いてから答えた。

「私は花岡さんたちの力になれればと思って電話したんだよ。自首するということなら、それでいいと思うけど、もしそうでないなら、二人だけじゃ大変だろうと思ってね」

彼の言葉に、靖子は顔から手を離した。そういえば電話をかけてきた時、この男は妙なことをいった。女性だけで死体を始末するのは無理ですよ――。

「自首しないで済む方法って、ありますか」美里がさらに訊いた。

靖子は顔を上げた。石神は小さく首を傾《かし》げていた。その顔に動揺の色はない。

「事件が起きたことを隠すか、事件とお二人の繋がりを切ってしまうか、のどちらかだね。いずれにしても死体は始末しなければならない」

「できると思いますか」

「美里」靖子はたしなめた。「何をいってるの」

「おかあさんは黙ってて。ねえ、どうですか、できますか」

「難しいね。でも、不可能じゃない」

石神の口調は相変わらず無機質だった。だがそれだけに理論的裏づけがあるように靖子には聞こえた。

「おかあさん」美里がいった。「おじさんに手伝ってもらおうよ。それしかないよ」

「でも、そんなこと……」靖子は石神を見た。

彼は細い目をじっと斜め下に向けている。母娘が結論を出すのを、静かに待っているという感じだった。

靖子は小代子から聞いた話を思い出していた。それによれば、この数学教師は靖子のことが好きらしい。彼女がいることを確かめてから弁当を買いに来るのだという。

もしその話を聞いていなければ、石神の神経を疑っているところだ。どこの世界に、さほど親しくもない隣人を、ここまで助けようとする人間がいるだろう。下手をすれば自分も逮捕されることになるのだ。

「死体を隠しても、いつかは見つかるんじゃないでしょうか」靖子はいった。この一言が、自分たちの運命を変える一歩だと彼女は気づいていた。

「死体を隠すかどうかはまだ決めていません」石神は答えた。「隠さないほうがいい場合もありますから。死体をどうするかは、情報を整理してから決めるべきです。はっきりしているのは、死体をこのままにしておくのはまずいということだけです」

「あの、情報って？」

「この人に関する情報です」石神は死体を見下ろした。「住所、氏名、年齢、職業。ここへは何をしに来たのか。この後、どこへ行くつもりだったのか。家族はいるのか。あなたが知っているかぎりのことを教えてください」

「あ、それは……」

「でもその前に、まず死体を移しましょう。この部屋は一刻も早く掃除をしたほうがいい。犯行の痕跡が山のように残っているでしょうから」いい終わるや否や、石神は死体の上半身を起こし始めた。

「えっ、でも、移すって、どこに？」

「私の部屋です」

決まってるじゃないかという顔で答えると、石神は死体を肩に担ぎあげた。ものすごい力だった。紺色のジャージの端に、柔道部、と書いた布が縫いつけられているのを靖子は見た。

石神は床に散らばったままの数学関連の書籍を足で払いのけ、ようやく畳の表面が見えたスペースに死体を下ろした。死体は目を開けていた。

彼は入り口で立ち尽くしている母娘のほうを向いた。

「お嬢さんには部屋の掃除を始めてもらおうかな。掃除機をかけて。なるべく丁寧に。おかあさんは残ってください」

美里は青ざめた顔で頷くと、母親をちらりと見てから隣の部屋に戻った。

「ドアを閉めてください」石神は靖子にいった。

「あ……はい」

彼女はいわれたとおりにした後も、靴脱ぎで佇《たたず》んでいる。

「とりあえず上がってください。おたくと違って散らかってますが」

石神は椅子に敷いてあった小さな座布団をはがし、死体のすぐ横に置いた。靖子は部屋に上がったが、座布団には座ろうとせず、死体から顔をそむけるように部屋の隅に腰を下ろした。その様子から、石神は彼女が死体を恐れているのだとようやく気づいた。

「あっ、どうも失礼」彼は座布団を手にし、彼女のほうに差し出した。「どうぞ、使ってください」

「いえ、大丈夫です」彼女は俯いたまま小さく首を振った。

石神は座布団を椅子に戻し、自分は死体の脇に座った。

死体の首には赤黒い帯状の痕がついていた。

「電気のコードですか」

「えっ？」

「首を絞めたものです。電気のコードを使ったんじゃないんですか」

「あ……そうです。炬燵のコードを」

「あの炬燵ですね」死体にかぶせてあった炬燵布団の柄を石神は思い出していた。「あれは処分したほうがいいでしょう。まあ、それは後で私が何とかしましょう。ところで――」石神は死体に目を戻した。「今日、この人と会う約束をしていたんですか」

靖子はかぶりを振った。

「してません。昼間、急に店に来たんです。それで夕方、店の近くのファミリーレストランで会いました。その時は一旦別れたんですけど、後になって家に訪ねてきたんです」

「ファミリーレストラン……ですか」

目撃者はいない、と期待する材料は何もないと石神は思った。

彼は死体のジャンパーのポケットに手を入れた。丸めた一万円札が出てきた。二枚あった。

「あっ、それはあたしが……」

「渡したものですか」

彼女が頷くのを見て、石神はその金を差し出した。しかし彼女は手を出そうとしない。

石神は立ち上がり、壁に吊してある自分の背広の内ポケットから財布を出した。そこから二万円を取り出し、代わりに死体が持っていた札を入れた。

「これなら気味悪くないでしょう」彼は自分の財布から出した金を靖子に見せた。

彼女は少し躊躇う素振りを見せた後、ありがとうございます、と小声でいいながら金を受け取った。

「さて、と」

石神は再び死体の洋服のポケットを探り始めた。ズボンのポケットから財布が出てきた。中には少しばかりの金と免許証、レシートなどが入っていた。

「富樫慎二さん……か。住所は新宿区西新宿、と。今もここに住んでるってことでしたか」免許証を見てから彼は靖子に尋ねた。

彼女は眉を寄せ、首を傾げた。

「わかりませんけど、たぶん違うと思います。西新宿に住んでたこともあったようですけど、家賃が払えなくて部屋を追い出された、という意味のことを聞きましたから」

「免許証自体は去年更新されていますが、すると住民票は移さず、どこかに住処《すみか》を見つけたということになりますが」

「あちこち転々としていたんじゃないでしょうか。定職もなかったから、まともな部屋は借りられなかったと思います」

「そのようですね」石神はレシートのひとつに目を留めた。

レンタルルーム扇屋、とある。金額は二泊分で五八八〇円。前払いする方式らしい。石神は暗算して、一泊が二八〇〇円と弾きだした。

彼はそれを靖子にも見せた。

「ここに泊まっているようです。でもチェックアウトしなければ、いずれは宿の者が部屋を開けます。宿泊客がいなくなっているということで、警察に届けるかもしれませんね。まあ、もしかしたら面倒なのでほうっておく可能性もあります。そういうことがしばしばあるから前払いなんでしょうし。でも、希望的に考えるのは危険です」

石神はさらに死体のポケットを探る。鍵が出てきた。丸い札がついていて、305という数字が刻み込まれている。

靖子はぼんやりとした目で鍵を見つめている。今後どうすればいいのか、彼女自身にはこれといった考えはないように見えた。

隣の部屋からかすかに掃除機の音が聞こえてくる。美里が懸命に掃除をしているのだろう。これからどうなるのかまるでわからないという不安の中、せめて自分のできることをしようと掃除機をかけているに違いない。

自分が守らねばならない、と石神は改めて思った。自分のような人間がこの美しい女性と密接な関わりを持てることなど、今後一切ないに違いないのだ。今こそすべての知恵と力を総動員して、彼女たちに災いが訪れるのを阻止しなければならない。

石神は死体となった男の顔を見た。表情は消え、のっぺりとした印象を受ける。それでもこの男が若い頃は美男子の部類に入ったであろうことは容易に想像できた。いや、中年太りこそしているが、今でも女性から好まれる風貌だったに違いない。

こういう男に靖子は惚れたのだなと石神は思い、小さな泡が弾けるように嫉妬心が胸に広がった。彼は首を振った。そんな気持ちが生まれたことを恥じた。

「この人が定期的に連絡をとっているとか、そういう親しい人はいますか」石神は質問を再開した。

「わかりません。本当に、今日久しぶりに会ったものですから」

「明日の予定とかは聞きませんでしたか。誰かに会うとか」

「聞いておりません。どうもすみません。何にも役に立てなくて」靖子は申し訳なさそうに項垂れた。

「いや、一応伺っただけです。御存じないのは当然ですから、気にしないでください」

石神は軍手をはめたまま死体の頬を鷲摑《わしづか》みにし、口の中を覗き込んだ。奥歯に金冠がかぶせられているのが見えた。

「歯の治療痕あり、か」

「あたしと結婚している時に、歯医者に通ってました」

「何年前ですか」

「離婚したのは五年前ですけど」

「五年、か」

カルテが残っていないと期待するわけにはいかないと石神は思った。

「この人に前科は？」

「なかったと思います。あたしと別れてからは知りませんけど」

「あったかもしれないわけですね」

「ええ……」

仮に前科はなくても、交通違反で指紋を採られたことぐらいはあるだろう。警察の科学捜査が交通違反者の指紋照合にまで及ぶかどうか石神は知らなかったが、考慮しておくに越したことはない。

死体をどう処置したところで、身元が判明することは覚悟しなければならなかった。とはいえ時間稼ぎは必要だ。指紋と歯型は残せない。

靖子がため息をついた。それは官能的な響きとなって石神の心を揺さぶった。彼女を絶望させてはならないと決意を新たにした。

たしかに難問だった。死体の身元が判明すれば、警察は間違いなく靖子のところへやってくる。刑事たちの執拗な質問攻めに彼女たち母娘は耐えられるか。脆弱《ぜいじゃく》な言い逃れを用意しておくだけでは、矛盾点をつかれた途端に破綻が生じ、ついにはあっさりと真実を吐露してしまうだろう。完璧な論理、完璧な防御を用意しておかねばならない。しかも今すぐにそれらを構築しなければならない。

焦るな、と彼は自分自身にいい聞かせた。焦ったところで問題解決には至らない。この方程式には必ず解はある——。

石神は瞼を閉じた。数学の難問に直面した時、彼がいつもすることだった。外界からの情報をシャットアウトすれば、頭の中で数式が様々に形を変え始めるのだ。しかし今彼の脳裏にあるのは数式ではない。

やがて彼は目を開いた。まず机の上の目覚まし時計を見る。八時三十分を回っていた。次にその目を靖子に向けた。彼女は息を呑む気配を見せ、後ろにたじろいだ。

「脱がすのを手伝ってください」

「えっ……」

「この人の服を脱がせます。ジャンパーだけでなく、セーターもズボンも脱がせます。早くしないと死後硬直が始まってしまう」そういいながら石神は早くもジャンパーに手をかけていた。

「あ、はい」

靖子も手伝い始めたが、死体に触れるのが嫌なのか、指先がふるえている。

「いいです。ここは私がやります。あなたはお嬢さんを手伝ってやりなさい」

「……ごめんなさい」靖子は俯き、ゆっくりと立ち上がった。

「花岡さん」彼女の背中に石神は呼びかけた。振り向いた彼女にいった。「あなた方にはアリバイが必要です。それを考えていただきます」

「アリバイ、ですか。でも、そんなのはありませんけど」

「だから、これから作るんです」石神は死体から脱がせたジャンパーを羽織った。「私を信用してください。私の論理的思考に任せてください」

3

「君の論理的思考とはどういうものなのか、一度じっくり分析してみたいね」

退屈そうに頬杖をついてそういってから、湯川学はわざとらしい大欠伸《あくび》をした。小さめのメタルフレームの眼鏡は外して脇に置いてある。いかにも、もう必要ないといわんばかりだ。

しかし事実そうなのかもしれない。草薙《くさなぎ》は先程から目の前のチェス盤を二十分以上睨んでいるが、どう考えても打開策は見えてこなかった。キングの逃げ道はなく、窮鼠《きゅうそ》猫を噛むとばかりにがむしゃらに攻撃する術《すべ》もない。いろいろと手は思いつくが、それらのすべてが何手も前に封じられていることに気づくのだった。

「チェスってのはどうも性に合わないんだよな」草薙は呟いた。

「また始まった」

「大体、敵からわざわざ奪った駒を使えないってどういうことなんだ。駒は戦利品だろ。使ったっていいじゃないか」

「ゲームの根幹にけちをつけてどうするんだ。それに駒は戦利品じゃない。駒は兵士だ。奪うということは命を取るということだ。死んだ兵士を使うことなんてできないだろ」

「将棋は使えるのにさ」

「将棋を考えた人の柔軟さには敬意を表するよ。あれはおそらく、駒を奪うという行為に敵の兵士を殺すのではなく降伏させる、という意味を込めているんだろうな。だから再利用できるわけだ」

「チェスもそうすりゃいいのにさ」

「寝返りというのは騎士道精神に反するんだろ。そんな屁理屈ばかりいってないで、論理的に戦況を見つめろよ。君は駒を一度しか動かせない。そして君が動かせる駒は極めて少なく、どれを動かしても僕の次の手を止めることはできない。で、僕がナイトを動かせばチェックメイトだ」

「やめた。チェスはつまんねえ」草薙は大きく椅子にもたれかかった。

湯川は眼鏡をかけ、壁の時計に目をやった。

「四十二分かかったな。まあ、殆ど君が一人で考えてたんだが。それより、こんなところで油を売っていて大丈夫なのかい。堅物の上司に叱られないのか」

「ストーカー殺人がやっと片づいたところなんだ。ちょっとは骨休みさせてもらわないとさ」草薙は薄汚れたマグカップに手を伸ばした。湯川がいれてくれたインスタントコーヒーはすっかり冷たくなっている。

帝都大学物理学科の第十三研究室には、湯川と草薙以外には誰もいなかった。学生たちは講義を受けに行ったという。もちろんそれをわかっているから、草薙もこの時間を選んで寄り道しているのだ。

草薙のポケットで携帯電話が鳴りだした。湯川が白衣を羽織りながら苦笑を浮かべた。

「ほら、早速お呼びらしいぜ」

草薙は渋面を作り、着信表示を見た。湯川のいうとおりのようだ。かけてきているのは同じ班に所属の後輩刑事だった。

現場は旧江戸川の堤防だった。近くに下水処理場が見える。川の向こうは千葉県だ。どうせなら向こうでやってくれりゃよかったのにと草薙はコートの襟を立てながら思った。

死体は堤防の脇に放置されていた。どこかの工事現場から持ってきたと思われる青いビニールシートがかけられていた。

発見したのは堤防をジョギングしていた老人だった。ビニールシートの端から人間の足のようなものが出ていたので、おそるおそるシートをめくってみたのだという。

「じいさんの歳は七十五だっけ。この寒空によく走るよ。だけどその歳になって嫌なもんを見ちまったもんだなあ。心の底から同情するよ」

一足先に着いていた岸谷という後輩刑事から状況を教わり、草薙は顔をしかめた。コートの裾がはためいている。

「岸やん、死体は見たのかい」

「見ました」岸谷は情けなく口元を歪めた。「よく見とけよって班長にいわれたもんですから」

「あの人、いつもそうなんだよなあ。自分は見ないくせにさ」

「草薙さん、見ないんですか」

「見ないよ。そんなもの見たって仕方ないだろ」

岸谷の話によれば、死体はむごたらしい状態で放置されていたらしい。まず全裸で、靴も靴下も脱がされていた。さらに顔が潰されていた。スイカを割ったようだと岸谷は表現し、それを聞いただけで草薙は気分が悪くなった。また、死体の手の指は焼かれ、指紋が完全に破壊されていたという。

死体は男性だった。首には絞殺の痕が見てとれた。それ以外には外傷らしきものはないようである。

「鑑識さんたちが何か見つけてくれねえかなあ」周辺の草むらを歩きながら草薙はいった。周りの目があるので、犯人の遺留品を探すふりをしているのだ。しかし本音をいえば、その道のプロに頼っている。自分が何か重大なものを見つけられるとは、あまり思っていない。

「そばに自転車が落ちていたんです。すでに江戸川署に運ばれましたが」

「自転車？　誰かが捨てていった粗大ゴミだろ」

「でも、それにしては新しいんです。ただ、タイヤは両輪ともパンクさせられていました。意図的に釘か何かで刺したように見えます」

「ふうん。被害者のものかな」

「それは何とも。登録番号がついてましたから、持ち主がわかるかもしれません」

「被害者のものであってほしいなあ」草薙はいった。「そうでなかったら、かなり面倒臭いことになるぜ。天国と地獄だよ」

「そうですか」

「岸やん、身元不明死体は初めて？」

「はあ」

「だって考えてもみろよ。顔や指紋を潰したってことは、犯人が被害者の身元を隠したかったわけだろ。逆にいえば、被害者の身元がわかれば犯人の目星も簡単につくってことさ。身元がすぐにわかるかどうか、それが運命の分かれ道だ。もちろん俺たちの、だ」

草薙がそこまでいった時、岸谷の携帯電話が鳴りだした。彼は二言三言話した後、草薙にいった。

「江戸川署に行くように、とのことです」

「やれやれ、助かった」草薙は身体を起こし、自分の腰を二度叩いた。

江戸川署に行くと、刑事課の部屋で間宮がストーブにあたっていた。間宮は草薙たちの班長だ。彼の周りで慌ただしく動いている数人の男たちは江戸川署の刑事らしい。捜査本部が置かれるから、その準備をしているのだろう。

「おまえ、今日は自分の車で来たのか」間宮が草薙の顔を見るなり訊いてきた。

「ええまあ。だってこのあたりは電車だと不便でしょ」

「このあたりの土地には詳しいか」

「詳しいってほどでもないですけど、ある程度はわかります」

「じゃあ道案内はいらないな。岸谷を連れて、ここへ行ってくれ」一枚のメモを出した。

そこには江戸川区篠崎の住所と、山辺曜子という名前が走り書きされていた。

「何ですか、この人は」

「自転車のことは話したか」間宮が岸谷に訊いた。

「話しました」

「死体のそばにあったという自転車ですか」草薙は班長のいかつい顔を見た。

「そうだ。照会したところ、盗難届が出されていた。登録番号が一致している。その女性が持ち主だ。先方に連絡はしてある。これからすぐに行って、話を聞いてみてくれ」

「自転車から指紋は出たんですか」

「そんなことはおまえが考えなくていい。早く行け」

間宮の野太い声に押し出されるように、草薙は後輩と共に江戸川署を飛び出した。

「参ったな、盗難自転車だよ。どうせそんなことだろうとは思ったけどさ」愛車のハンドルを切りながら草薙は舌打ちをした。車は黒のスカイラインで、乗り始めてから八年近くが経っている。

「犯人が乗り捨てたということでしょうか」

「そうかもな。もしそうだとしても、自転車の持ち主に話を聞いたって始まらない。誰に盗まれたかなんて知るはずないもんな。まあ、どこで盗まれたかがわかれば、犯人の足取りが少しは特定できるけどさ」

メモと地図を頼りに草薙は篠崎二丁目付近を走り回った。やがてメモの住所に合致する家が見つかった。表札に山辺と出ている。白い壁の洋風住宅だった。

山辺曜子はその家の主婦で、年齢は四十代半ばに見えた。刑事が来るとわかっていたからか、丁寧に化粧をしていた。

「間違いないと思います。うちの自転車です」

草薙が差し出した写真を見て、山辺曜子はきっぱりといった。その写真には自転車が写っている。草薙が鑑識から預かってきたものだ。

「一応署に来ていただいて、現物を確認していただけるとありがたいんですが」

「それは構いませんけど、自転車は返していただけるんですよね」

「もちろん。ただ、少し調べることが残っているので、それが終わってからですが」

「早く返してもらわないと困るわ。あれがないと買い物に行くのにも不便で」山辺曜子は不満げに眉をひそめた。盗まれた原因が警察にあるかのような口ぶりだった。殺人事件に絡んでいる可能性があることはまだ知らないようだ。知れば、その自転車に乗る気がしなくなるだろう。タイヤがパンクさせられていることがわかったら、弁償しろとかいうんじゃないだろうなと草薙は思った。

彼女によれば、自転車が盗まれたのは昨日、つまり三月十日の午前十一時から午後十時の間ということだった。昨日は銀座で友人と会い、買い物をしたり食事をしたりして、篠崎駅に帰ってきたのが夜の十時過ぎらしいのだ。仕方なく駅からはバスに乗って帰ったという。

「駐輪場に置かれてたんですか」

「いえ、路上ですけど」

「鍵はかけておられましたよね」

「かけてました。チェーンで歩道の手すりに繫いでおいたんです」

草薙は、現場からチェーンが見つかった、という話は聞いていなかった。

この後草薙は山辺曜子を乗せ、まず篠崎駅に向かった。自転車が盗まれた場所を見ておきたかったからだ。

「このあたりです」彼女が示したのは、駅前のスーパーマーケットから二十メートルほど離れた路上だった。その路上には今も自転車が並んでいた。

草薙は周囲を見回した。信用金庫の支店や書店なども建っている。昼間や夕方ならば人通りも多かっただろう。巧妙にやれば、素早くチェーンを切り、さも自分の自転車のような顔をして持ち去ることは難しくないかもしれないが、やはり人気《ひとけ》がなくなってからの犯行ではないかと思った。

引き続き山辺曜子には、江戸川署まで同行してもらうことにした。自転車の現物を見てもらうためである。

「ついてないわあ。あの自転車、先月買ったばかりなんですよ。だからもう盗まれたとわかった時には腹が立って、バスに乗って帰る前に駅前の交番に届けたんです」後部座席で彼女がいった。

「自転車の登録番号なんて、よくわかりましたね」

「そりゃあ、買ったばかりだもの。控えがまだ家にあったんですよ。電話して、娘に教えてもらいました」

「なるほど」

「それより、一体どういう事件なんですか。電話をかけてきた人もはっきりとしたことを教えてくれなくて。さっきからずっと気になってるんですけど」

「いや、まだ事件かどうかはわからなくて。詳しいことは我々も知らないんです」

「えー、そうなの？　ふうん。警察の人って口が堅いんですねえ」

助手席で岸谷が笑いをこらえている。草薙は、今日この女性のところへ行くことになってよかったと胸を撫で下ろしていた。事件が公になった後では、逆に質問攻めにされていたに違いない。

江戸川署で自転車を見た山辺曜子は、自分のものに間違いないと断定した。さらに、パンクしていること、傷がついていることを指摘し、誰に損害を請求すればいいのかと草薙に質問してきた。

件《くだん》の自転車については、ハンドルをはじめフレーム、サドル等から複数の指紋が採取された。自転車以外の遺留品としては、現場から約百メートル離れたところで、被害者のものと思われる衣類が見つかっていた。一斗缶の中に押し込んであり、その一部が燃えていた。ジャンパー、セーター、ズボン、靴下、そして下着という内容である。火をつけてから犯人は立ち去ったが、思ったようには燃え続けず、自然に火が消えたものと推察された。

それらの衣類について製造元から当たるというようなことは、捜査本部では提案されなかった。いずれの衣類も大量に出回っていることは明白だったからだ。そのかわりに衣類や死体の体格などから、殺される直前の被害者の様子がイラストに描かれた。一部の捜査員はそのイラストを手に、篠崎駅を中心に聞き込みを行った。しかしさほど目立つ服装ではないせいか、これといった情報は集まらなかった。

イラストはニュース番組でも紹介された。こちらは山のように情報が集まった。だがいずれも旧江戸川べりで見つかった死体に結びつくものではなかった。

一方、捜索願の出されている人物についても虱潰《しらみつぶ》しに照合が行われた。しかし該当する人物は見つからなかった。

江戸川区を中心に、独り暮らしで最近姿を見かけなくなった男性がいないか、宿やホテルの客で突然消えた者がいないか、徹底的に調べられることになった。やがてひとつの情報に捜査員たちは食いついた。

亀戸にあるレンタルルーム扇屋という宿から、一人の男性客がいなくなっていた。それが判明したのは三月十一日である。つまり死体が発見された日だ。チェックアウトタイムが過ぎていたので従業員が様子を見に行ったところ、わずかな荷物が残っているだけで、客の姿はなかった。報告を受けた経営者は、前払い金をもらっているので警察には届けなかった。

早速部屋や荷物から毛髪、指紋等が採取された。その毛髪は死体のものと完全に一致した。また、例の自転車から採取した指紋のひとつが、部屋や荷物に残されていたものと同一と判断された。

消えた客は宿帳に、富樫慎二、と書いていた。住所は新宿区西新宿とあった。

4

地下鉄森下駅から新大橋に向かって歩き、橋の手前にある細い道を右に折れた。民家が建ち並び、そのところどころに小さな商店が見える。それらの店の殆どに、昔からずっと商売を続けている雰囲気が漂っていた。ほかの町ならばスーパーや大型店に淘汰されてしまいそうだが、たくましく生き残っていけるところが下町のよさなのかもしれない、と草薙は歩きながら思った。

時刻は夜の八時を過ぎたところだった。どこかに銭湯があるらしく、洗面器を抱えた老女が草薙たちとすれ違った。

「交通の便もいいし、買い物には便利そうだし、住むにはよさそうなところですね」隣で岸谷が呟くようにいった。

「何がいいたいんだ？」

「いや、別に深い意味は。母親と娘が二人で住むにも、ここなら生活しやすいんじゃないかと思っただけです」

「なるほどな」

草薙が納得した理由は二つあった。一つは、これから会う相手が娘と二人暮らしをしている女性だということであり、もう一つは岸谷自身が母子家庭で育っているということだった。

草薙はメモに書かれた住所と電柱の表示を見比べながら歩いた。そろそろ目的のアパートに辿り着けるはずだった。メモには『花岡靖子』という名前も記されている。

殺された富樫慎二が宿帳に書いていた住所はでたらめではなかった。実際にその住所に彼の住民票は存在したのだ。ただし、現在彼はその場所に住んではいなかった。

死体の身元が判明したことは、テレビや新聞等によって報道された。その際、「お心当たりのある方は最寄りの警察に御連絡ください」と付け加えられたのだが、情報らしきものは全くといっていいほど集まらなかった。

富樫に部屋を貸していた不動産屋の記録から、彼の以前の勤め先は判明していた。荻窪にある中古車販売業者だった。しかし仕事は長続きせず、一年足らずで辞めている。

それを皮切りに、富樫の経歴が捜査陣によって次々と明らかになっていった。驚いたことに彼はかつて高級外車のセールスマンだった。しかし会社の金を使い込んだことがばれてくびになっていた。もっとも、起訴はされていない。使い込みについても、捜査員の一人がたまたま聞き込みで知り得ただけだった。その会社は無論現存するが、当時のことについて詳しいことを知っている者はいない、というのが会社側の言い分らしい。

その頃富樫は結婚していた。彼をよく知る人間の話によれば、富樫は離婚後も別れた妻に執着していたらしい。

妻には連れ子がいた。二人の転居先を調べるのは捜査陣にとって難しいことではなかった。間もなくその母娘《おやこ》、花岡靖子と美里の居場所は判明した。それが江東区森下、つまり今草薙たちが向かっている先だった。

「気の重い役ですね。貧乏くじを引いちゃったなあ」岸谷がため息まじりにいう。

「何だよ、俺と聞き込みに行くのが貧乏くじなのか」

「そうじゃなくて、せっかく母娘と二人で平和に暮らしているところに波風を立てたくないといってるんです」

「事件に関係なきゃ、波風を立てることにはならないさ」

「そうでしょうか。どうやら富樫はかなり悪い夫で、悪い父親だったみたいですよ。思い出すのも嫌なんじゃないですか」

「だったら、俺たちは歓迎されるはずだぜ。その悪い男が死んだって知らせを届けに行くんだからな。とにかくそんなしけた顔をするなよ。こっちまで気が滅入る。――おっと、ここらしいぞ」草薙は古いアパートの前で足を止めた。

建物は薄汚れた灰色をしていた。壁に補修の跡がいくつかある。二階建てで、上下四つずつ部屋があった。現在窓に明かりが灯っているのは、そのうちの半分だけだ。

「二〇四号室、ということは二階だな」草薙は階段を上がっていった。岸谷も後からついてくる。

二〇四号室は階段から一番奥だった。ドアの横の窓から光が漏れている。草薙はほっとした。留守なら出直さねばならないところだ。今夜訪ねることは事前に知らせていない。

ドアホンを鳴らした。すぐに、室内で人の動く物音がした。鍵が外され、ドアが開いた。しかしチェーンはかけられたままだ。母と娘の二人暮らしなら、この程度の用心深さは当然だと思われた。

ドアの隙間の向こうから、女性が怪訝《けげん》そうに草薙たちを見上げていた。黒目がちの目が印象的な、顔の小さい女だった。三十前の若い女に見えたが、薄暗いせいだと草薙は気づいた。ドアノブを持つ手の甲は主婦のものだった。

「失礼ですが、花岡靖子さんでしょうか」草薙は表情と口調を柔らかくするよう努めた。

「そうですけど」彼女は不安そうな目をした。

「我々は警視庁の者です。じつはお知らせしたいことがありまして」草薙は手帳を取り出し、顔写真の部分を見せた。横で岸谷もそれに倣《なら》った。

「警察の……」靖子は目を見開いた。大きな黒目が揺れた。

「ちょっとよろしいですか」

「あっ、はい」花岡靖子は一旦ドアを閉めた後、チェーンを外し、もう一度開けた。「あの、どういったことでしょうか」

草薙は一歩前に出て、ドアの内側に足を踏み入れた。岸谷も続いてくる。

「富樫慎二さんを御存じですね」

靖子の表情が微妙に強張ったのを草薙は見逃さなかった。だがそれは、別れた亭主の名前を突然出されたせい、と考えるべきかもしれなかった。

「前の夫ですけど……あの人が何か？」

彼が殺されたことは知らないらしい。ニュース番組や新聞を見ていないのだろう。たしかにマスコミは、あまり大きく扱っていない。見過ごしていたとしても不思議ではない。

「じつは」口を開きかけた時、草薙の視界に奥の襖が入った。襖はぴたりと閉じられている。

「奥にどなたか？」彼は訊いた。

「娘がいますけど」

「あ、なるほど」靴脱ぎに運動靴が揃えて置いてあった。草薙は声を落とした。「富樫さんはお亡くなりになりました」

えっという形で靖子の唇が止まった。それ以外に大きな表情の変化はなかった。

「それは、あの、どうして？」彼女は訊いてきた。

「旧江戸川の堤防で遺体が見つかったのです。まだ何とも断定はできませんが他殺の疑いもあります」草薙は率直にいった。そのほうが単刀直入に質問できると判断したからだ。

ここではじめて靖子の顔に動揺の色が浮かんだ。茫然とした表情で、小さく首を左右に動かした。

「あの人が……どうしてそんなことに」

「それを今調べているところなんです。富樫さんには家族もいなかったようなので、以前結婚しておられた花岡さんのところにお話を伺いに来たというわけです。夜分、申し訳ありません」草薙は頭を下げた。

「あ、はあ、そうですか」靖子は口元に手を当て、目を伏せた。

草薙は奥で閉ざされたままの襖が気になっていた。その向こうで娘は母親と来訪者たちの会話に耳を傾けているのだろうか。聞いているとしたら、かつての義父の死をどのように捉えているだろうか。

「失礼ながら、少々調べさせていただきました。花岡さんが富樫さんと離婚されたのは五年前ですよね。その後、富樫さんとは会っておられるのですか」

靖子はかぶりを振った。

「別れてからは殆ど会ってません」

殆ど、ということは、全く会ってないわけではないということだ。

「最近といっても、もうずいぶん前です。去年だったか、一昨年だったか……」

「連絡はなかったんですか。電話とか、手紙とか」

「ありません」靖子は一度強く首を振った。

草薙は頷きながら、さりげなく室内を観察した。六畳ほどの和室は、古いが奇麗に掃除されており、整理もいき届いていた。ホーム炬燵の上にみかんが載っている。壁際にバドミントンのラケットが置いてあるのを見て、彼は懐かしい気持ちになった。彼はかつて大学でクラブに入っていた。

「富樫さんが亡くなられたのは、三月十日の夜と見られています」草薙はいった。「その日付や、旧江戸川の堤防という場所を聞いて、何か思いつくことはありませんか。どんな些細《ささい》なことでも結構ですが」

「わかりません。うちにとって特別な日じゃないし、あの人が最近どんなふうにしてたかも全然知りませんから」

「そうですか」

靖子は明らかに迷惑そうだった。別れた亭主のことなど訊かれたくないというのは、ごくふつうの感覚ではある。彼女が事件と関係しているのかどうかは、まだ草薙には判断がつかなかった。今日のところはこのあたりで引き上げてもいいかなと彼は思った。ただし、ひとつだけ確認しておくことはある。

「三月十日は家にいらっしゃったのですか」手帳をポケットに戻しながら彼は訊いた。話のついでに質問しているだけだ、というポーズを取ったつもりだった。

しかし彼の努力はあまり効果がなかった。靖子は眉を寄せ、不快感を露《あら》わにした。

「その日のことをはっきりさせておいたほうがいいんでしょうか」

草薙は笑いかけた。

「大層に受け取らないでください。もちろん、はっきりさせていただければ我々としても助かりますが」

「ちょっと待ってください」

靖子は草薙たちの位置からは死角になっている壁を見つめた。カレンダーが貼ってあるのだろう。そこに予定表が書いてあるのなら見ておきたかったが、草薙は我慢しておくことにした。

「十日は朝から仕事で、その後は娘と出かけました」靖子は答えた。

「どちらにお出かけですか」

「夜、映画を見に行ったんです。錦糸町の楽天地というところです」

「お出かけになったのは何時頃ですか。大体で結構です。それから映画のタイトルを教えていただけるとありがたいんですが」

「六時半頃出かけました。映画のタイトルは――」

その映画は草薙も知っているものだった。ハリウッド映画の人気シリーズで、現在パート3が公開されている。

「映画の後は、すぐにお帰りになりましたか」

「同じビルにあるラーメン屋で食事をして、その後はカラオケに行きました」

「カラオケ？　カラオケボックスに？」

「はい。娘にねだられたものですから」

「ははあ……よくお二人で行かれるんですか」

「ひと月か、ふた月に一度ぐらいです」

「時間はどのぐらい？」

「いつも一時間半ぐらいです。帰りが遅くなりますから」

「映画を見て、食事をして、カラオケ……と。すると帰宅されたのは……」

「十一時は過ぎていたと思います。正確には覚えてませんけど」

草薙は頷いた。しかし何となく釈然としないものを感じていた。その理由については、自分でもよくわからなかった。

カラオケボックスの店名を確認すると、彼等は礼を述べて部屋を後にした。

「事件とは関係なさそうですね」二〇四号室の前から離れながら、岸谷が小声でいった。

「まだなんともいえないな」

「母娘でカラオケなんて、いいですよね。仲むつまじいって感じがする」岸谷は花岡靖子を疑いたくないようだった。

階段を一人の男が上がってきた。ずんぐりとした体格の中年男だった。草薙たちは立ち止まって男をやり過ごした。男は二〇三号室の鍵を外し、部屋に入っていった。

草薙は岸谷と顔を見合わせた後、踵《きびす》を返した。

二〇三号室には石神という表札が出ていた。ドアホンを鳴らすと、先程の男がドアを開けてくれた。コートを脱いだところのようで、セーターにスラックスという出で立ちだった。

男は無表情で草薙と岸谷の顔を交互に見た。ふつうなら怪訝そうにしたり、警戒の色を見せたりするものだが、それすらも男の顔からは読み取れなかった。そのことが草薙には意外だった。

「夜分に申し訳ありません。ちょっと御協力願えますか」愛想笑いを浮かべながら草薙は警察手帳を見せた。

それでも男は相変わらず顔の肉を微動だにさせなかった。草薙は一歩前に出た。

「数分で結構なんです。少し、お話を伺わせていただきたいんです」

もしかしたら手帳が見えなかったのかもしれないと思い、彼は改めてそれを男の前にかざした。

「どういったことですか」男は手帳には見向きもせずに訊いてきた。草薙たちが刑事であることはわかっているようだ。

草薙は背広の内ポケットから一枚の写真を取り出した。富樫が中古車販売店で働いていた頃の写真だ。

「これは少し古い写真なんですがね、この人らしき人物を最近見かけませんでしたか」

男は写真をじっと見つめた後、顔を上げて草薙を見た。

「知らない人ですね」

「ええ、それはたぶんそうだと思います。ですから、似た人物を見たとか、そういうことはありませんか」

「どこでですか」

「いや、それはたとえば、この付近とかで」

男は眉を寄せ、もう一度写真に目を落とした。脈はなさそうだなと草薙は思った。

「わからないなあ」男はいった。「道ですれ違った程度の人の顔は覚えてないですから」

「そうですか」この男に聞き込みをしたのは間違いだったなと草薙は後悔した。「あの、お帰りはいつもこのくらいの時刻ですか」

「いや、日によってまちまちです。クラブが遅くなることもあるし」

「クラブ？」

「柔道部の顧問をしているんです。道場の戸締まりは私の仕事ということになってますから」

「あ、学校の先生をなさってるんですか」

「ええ、高校の教師です」男は学校名をいった。

「そうでしたか。それはお疲れのところ申し訳ありませんでした」草薙は頭を下げた。

その時玄関脇に数学の参考書が積まれているのが目に入った。数学の教師かよ、と思い、ちょっとげんなりした。彼が最も苦手な科目だった。

「あの、イシガミさんとお読みするんでしょうか。表札を見せていただきましたが」

「ええ、イシガミです」

「では石神さん、三月十日はどうでしたか。お帰りになったのは何時頃ですか」

「三月十日？　その日がどうかしたんですか」

「いや、石神さんには何の関係もありません。ただ、その日の情報を集めておりまして」

「はあ、そうですか。三月十日ねえ」石神は遠くを見る目をした後、すぐに草薙に視線を戻した。

「その日はすぐに帰宅したと思いますよ。七時頃には帰ってたんじゃないでしょうか」

「その時、お隣の様子はどうでしたか」

「お隣？」

「花岡さんの部屋です」草薙は声を落とした。

「花岡さんがどうかされたんですか」

「いえ、まだ何とも。それで情報を集めているわけです」

石神の顔に何かを推察する表情が浮かんだ。隣の母娘についてあれこれと想像を巡らせ始めたのかもしれない。草薙は室内の様子から、この男は独身だと踏んでいた。

「よく覚えてませんが、特に変わったことはなかったと思いますよ」石神は答えた。

「物音がしたとか、話し声が聞こえたとかは？」

「さあ」石神は首を捻った。「印象には残ってませんねえ」

「そうですか。花岡さんとは親しくしておられるのですか」

「お隣さんですから、顔を合わせれば挨拶ぐらいはします。まあ、その程度です」

「わかりました。どうもお疲れのところ、すみませんでした」

「いえ」石神は頭を下げ、そのままドアの内側に手を伸ばした。そこに郵便受けがあるからだった。草薙は何気なく彼の手元を見て、一瞬目を見張った。郵便物の中に、帝都大学という文字が見えたからだ。

「あのう」ややためらいながら草薙は訊いた。「先生は帝都大学の御出身ですか」

「そうですが」石神の細い目が少し大きくなった。やがてすぐに自分が手にしている郵便物に気づいたようだ。「ああ、これですか。学部のＯＢ会の会報です。それが何か？」

「いえ、知り合いに帝都大の出身者がいるものですから」

「はあ、そうですか」

「どうも失礼しました」草薙は一礼してから部屋を出た。

「帝都大って、先輩が出たところじゃないですか。どうしてそういわなかったんです」アパートを離れてから岸谷が訊いてきた。

「いやあ、なんか不愉快そうにされそうでさ。何しろあっちはたぶん理学部だぜ」

「先輩も理数系コンプレックスですか」岸谷はにやにやした。

「それを意識させる奴が近くにいるんだよ」草薙は湯川学の顔を思い浮かべていた。

刑事たちが去ってから十分以上待って、石神は部屋を出た。ちらりと隣の部屋を見る。二〇四号室の窓に明かりが灯っているのを確認して、階段を下りた。

人目につかない公衆電話のある場所まで、さらに十分近く歩かねばならなかった。彼は携帯電話を持っていたし、それ以前に部屋に固定電話があるのだが、それらは使えないと考えていた。

歩きながら刑事たちとの会話を反芻《はんすう》した。連中が自分と事件との関わりに気づくヒントなど一つも与えていない、と彼は確信していた。しかし万一のことがある。警察は死体の処理には男手が必要だと考えるはずだった。花岡母娘のそばにいて、彼女たちのためなら犯罪に手を汚す可能性のある男を見つけだそうと躍起になるだろう。隣に住んでいる、という理由だけから、石神という数学教師に目をつけることも大いに考えられた。

これからは彼女の部屋に行くことは無論のこと、直接会うことも避けなければと石神は思った。家から電話をしないのも、同じ理由からだ。通話記録から、花岡靖子に頻繁に電話をかけていることが警察に知られるおそれがある。

『べんてん亭』は——。

それについてはまだ結論を出せないでいた。ふつうに考えるならば、当分の間は行かないほうがいい。だが刑事たちはいずれあの弁当屋にも聞き込みに行くだろう。その結果、花岡靖子の隣に住む数学教師が毎日のように買いに来ていたことを、店の人間から聞き出すかもしれない。その場合、事件後から急に来なくなったというほうが不審に思うのではないか。これまでと同じようにしていたほうが怪しまれないのではないか。

石神はこの問題について、最も論理的な解答を出す自信を持てなかった。『べんてん亭』へは今まで通りに行きたい、という思いが自分の中にあることを、彼自身が知っていたからだ。なぜなら『べんてん亭』だけが、花岡靖子と彼との唯一の接点だからだ。あの弁当屋へ行かなければ、彼は彼女とは会えない。

目的の公衆電話に辿り着いた。テレホンカードをさしこんだ。同僚教師の赤ん坊の写真が印刷されたカードだ。

かけたのは花岡靖子の携帯電話の番号だった。家の電話だと警察に盗聴器を仕掛けられているおそれがあると考えたのだ。民間人に対して盗聴はしないと警察はいっているが、彼は信用していなかった。

「はい」靖子の声が聞こえた。石神から連絡する場合には公衆電話を使うことは、以前に話してある。

「石神です」

「あ、はい」

「さっき、うちに刑事が来ました。そちらにも行ったと思いますが」

「ええ、ついさっき」

「どんなことを訊いてきましたか」

靖子が語る内容を、石神は頭の中で整理し、分析し、記憶していった。どうやら警察は、現段階では格別に靖子を疑っているというわけでもなさそうだ。アリバイを確かめたのは単なる手続きだろう。手の空いている捜査員がいれば裏を取る、といった程度か。

だが富樫の足取りが明らかになり、靖子に会いにきたことが判明すれば、刑事たちは目の色を変えて彼女に襲いかかるだろう。まずは彼女の、最近は富樫とは会っていないという供述について追及してくるはずだ。それについての防御は、すでに彼女に教えてある。

「お嬢さんは刑事に会いましたか」

「いえ、美里は奥の部屋にいました」

「そうですか。でもいずれはお嬢さんからも話を聞こうとするはずです。その場合の対処については、もう話してありますね」

「はい。よくいって聞かせました。本人も大丈夫だといっています」

「しつこいようですが、芝居をする必要はありません。訊かれたことだけに機械的に答えていればいいのです」

「はい、娘にも伝えておきます」

「それから映画の半券は刑事に見せましたか」

「いえ、今日は見せませんでした。見せろといわれるまで見せなくていい、と石神さんがおっしゃってたものですから」

「それでいいです。半券はどこに入れてありますか」

「引き出しの中ですけど」

「パンフレットの間に挟んでおいてください。映画の半券を大切に保管している人はあまりいません。引き出しの中なんかに入っていたら怪しまれます」

「わかりました」

「ところで」石神は唾を飲み込んだ。受話器を握る手に力が入った。「私がよく弁当を買いにくることを、『べんてん亭』の人たちは知っていますか」

「えっ……」唐突な質問に聞こえたらしく、靖子は言葉を詰まらせた。

「つまり、あなたの隣に住んでいる男が頻繁に弁当を買いにきていることを、店の人たちはどう思っているか、とお尋ねしているわけです。これは重要なことですから、どうか率直にお答えください」

「あ、それは、よく来てくださってありがたいと店長もいっていました」

「私があなたの隣人であることも承知しているのですね」

「ええ……あのう、何かまずいことでも？」

「いえ、そのことは私が考えます。あなたはとにかく打ち合わせたとおりに行動してください。わかりましたね」

「わかりました」

「ではこれで」石神は受話器を耳から離しかけた。

「あ、あの、石神さん」靖子が呼びかけてきた。

「何か？」

「いろいろとありがとうございます。恩に着ます」

「いや……じゃあこれで」石神は電話を切った。

最後の彼女の一言で、彼の全身の血が騒ぎだした。顔が火照《ほて》り、冷たい風が心地好い。腋の下には汗までかいていた。

幸福感に包まれながら石神は帰路についた。しかし浮いた気持ちは長続きしなかった。『べんてん亭』のことを聞いたからだった。

彼は刑事に対して一つだけミスをしたことに気づいた。花岡靖子との関係を訊かれた時、挨拶をする程度だと答えたが、彼女の働く店で弁当を買っていることも付け加えるべきだったのだ。

「花岡靖子のアリバイの裏は取ったのか」草薙と岸谷を席に呼びつけると、間宮は爪を切りながら尋ねた。

「カラオケボックスでは取れました」草薙が答えた。「顔馴染みらしく、店員が覚えていたんです。記録にも残ってました。九時四十分から一時間半歌っています」

「その前は？」

「花岡母娘が見た映画は、時間的に考えて、七時ちょうどからの上映だったようです。終わるのが九時十分。その後ラーメン屋に入ったそうですから、話は合います」手帳を見ながら草薙は報告した。

「話が合うかどうかなんて訊いちゃいない。裏は取れてるのかと訊いてるんだ」

草薙は手帳を閉じ、肩をすくめた。「取れてません」

「それでいいと思ってるのか」間宮はじろりと見上げてきた。

「班長だって知ってるでしょ。映画館やラーメン屋なんてのは、一番裏が取りにくい場所なんですよ」

草薙がこぼすのを聞きながら、間宮は一枚の名刺を机にほうりだした。『クラブ　まりあん』と印刷されている。場所は錦糸町のようだ。

「何ですか、これ」

「靖子が以前働いていた店だ。三月五日、富樫が顔を見せている」

「殺される五日前……ですか」

「靖子のことをあれこれ訊いて帰ったそうだ。ここまでいえば俺が何をいいたいのか、ぼんくらなおまえでもわかるだろ」間宮は草薙たちの背後を指差した。「さっさと裏を取ってこい。取れないなら、靖子のところへ行け」

5

四角い箱に三十センチほどの棒が立っている。その棒に直径数センチの輪が通されていた。その状態は輪投げの玩具に似ている。違うのは、箱からコードが延びていてスイッチがついていることだ。

「何だろうな、これ」草薙はじろじろ見ながらいった。

「触らないほうがいいですよ」岸谷が横から注意した。

「大丈夫だよ。触って危ないものなら、あいつがこんなふうに無造作に置いておくはずがない」

草薙はスイッチをぱちんと入れた。すると棒に通されていた輪が、ふわりと浮き上がった。

おっ、と草薙は一瞬たじろいだ。輪は浮いたまま、ゆらゆらと揺れている。

「輪を下に押しつけてみろ」後ろから声がした。

草薙が振り返ると、湯川が本やファイルを抱えて部屋に入ってくるところだった。

「お帰り。講義だったのか」そういいながら草薙は、いわれたとおりに輪を指先で押し下げた。

だがそれから一秒としないうちに手を引っ込めていた。「わっ、あっちっち。熱いじゃないかよ」

「触って危険なものを無造作に置いておくことはないが、それは触る人間が最低限の理科をマスターしているという条件つきだ」湯川は草薙のところへやってきて、箱のスイッチを切った。

「高校の物理レベルの実験器具だぜ、これは」

「高校じゃ物理は選択しなかったんだよ」草薙は指先に息を吹きかけた。隣では岸谷がくすくすと笑っている。

「こちらは？　見かけない顔だな」湯川が岸谷を見て訊いた。

岸谷は真顔に戻って立ち上がり、頭を下げた。

「岸谷です。草薙さんと一緒に仕事をさせていただいております。湯川先生のお噂はいろいろと伺っております。捜査に御協力いただいたことも何度かあるそうで。ガリレオ先生のお名前は一課でも有名です」

湯川は顔をしかめ、手をひらひらと振った。

「その呼び方はやめてくれ。大体、好きで協力したわけじゃない。この男の非論理的思考を見るに見かねて口出ししてしまっただけだ。君もこんな男と行動していると、脳みそ硬化症が伝染するぞ」

噴き出した岸谷を、草薙はじろりと睨みつけた。

「笑いすぎだよ。――そういうけど湯川、おまえだって結構楽しそうに謎に取り組んでたじゃないか」

「何が楽しいもんか。君のおかげで論文がちっともはかどらなかったこともある。おいまさか、今日も何か面倒な問題を持ち込んできたんじゃないだろうな」

「心配しなくても、今日はそんなつもりはない。近くまで来たから寄っただけだ」

「それを聞いて安心した」

湯川は流し台に近づくと、薬缶に水を入れ、それをガスコンロにかけた。例によってインスタントコーヒーを飲むつもりらしい。

「ところで旧江戸川で死体が見つかった事件は解決したのかい」カップにコーヒーの粉を入れながら湯川が訊いてきた。

「どうして俺たちがあの事件の担当だって知ってるんだ」

「ちょっと考えればわかることだ。君が呼び出しを受けた日の夜に、ニュース番組でやってたからな。その浮かない顔から察すると、捜査は進展していないみたいだな」

草薙はしかめっ面を作り、鼻の横を掻いた。

「まあ、全然進展してないってわけじゃないけどな。容疑者だって何人か浮かんできてるし。これからだよ」

「ほう、容疑者がね」湯川は特に感心した様子もなく、軽く受け流す。

すると横から岸谷が口を挟んできた。「自分は、現在の方向が当たっているとは思えないんですが」

へえ、といって湯川が彼を見た。「捜査方針に異議があるというわけだ」

「いや、異議というほどでは……」

「余計なこといわなくていいんだよ」草薙は眉を寄せた。

「すみません」

「謝る必要はないだろ。命令には従いつつ、自分なりに意見はある、というのは正常な姿だと思うぜ。そういう人間がいないと、なかなか合理化は進まない」

「こいつが捜査方針に文句をつけてるのは、そんな理由からじゃないんだ」仕方なく草薙はいった。「今俺たちが目をつけてる相手を庇《かば》いたいだけなんだよ」

「いや、そういうわけじゃあ」岸谷は口ごもった。

「いいよ、ごまかさなくて。あの母親と娘に同情してんだろ。俺だって本音をいえば、あの二人を疑うようなことはしたくない」

「なんだか複雑そうだな」湯川がにやにやしながら草薙と岸谷を見比べた。

「別に複雑ってわけじゃない。殺された男には昔別れた女房がいて、事件の直前にその女房の居所を調べてたらしいんだ。それで一応アリバイなんかを確認しておこうってことになっただけだ」

「なるほど。それでアリバイはあるのかい」

「まあ、そこなんだけどさ」草薙は頭を掻いた。

「おやおや、途端に歯切れが悪くなったな」湯川は笑いながら立ち上がった。薬缶から湯気が出ていた。「お二人はコーヒーを飲むかい？」

「いただきます」

「俺は遠慮しておくよ。――あのアリバイはどうも引っかかるんだなあ」

「彼女らが嘘をついてるとは思えませんが」

「そういう根拠のないことをいうなよ。裏だって取れてないんだしさ」

「だって、映画館やラーメン屋の裏なんか取れないって班長にいったのは草薙さんじゃないですか」

「取れないとはいってない。取りにくいといっただけだ」

「ははあ、その容疑者の女性は、犯行時刻には映画館にいたと主張しているわけか」二つのコーヒーカップを持って湯川が戻ってきた。一方を岸谷に渡す。

ありがとうございます、といいながら岸谷はぎょっとしたように目を開いた。あまりにもカップが汚いからだろう。草薙は笑いをこらえた。

「映画を見た、というだけじゃあ、証明は難しいだろうな」湯川は椅子に腰かけた。

「でもその後でカラオケに行っているんです。で、そっちのほうは店員がはっきりと証言しています」岸谷が言葉に力を込める。

「だからといって映画館のほうを無視するわけにはいかないだろ。犯行後にカラオケに行ったということもあり得るわけだし」草薙はいった。

「花岡母娘が映画を見ていたのは、午後七時とか八時ですよ。いくら人気のない場所とはいえ、殺人を犯せる時間帯じゃないですよ。ただ殺しただけでなく、衣類だって脱がせてるわけだし」

「それはそう思うけど、あらゆる可能性を潰していかなきゃ、シロだとは断定できんだろうが」

特にあの頑固な間宮を納得させられないと草薙は考えていた。

「よくわからんが、二人の話を聞いていると、犯行時刻は推定できているようだな」湯川が質問を挟んできた。

「解剖から、死亡推定時刻は十日の午後六時以降となっています」

「一般人に、そこまでべらべらしゃべることはないんだよ」草薙は注意した。

「でも、先生には、これまでにも捜査に協力していただいているわけでしょう?」

「オカルトもどきの謎が絡んでる場合だけだよ。今回は素人に相談する意味はない」

「たしかに僕は素人だ。でも君たちの雑談場所を提供していることは忘れないでもらいたいね」

湯川は悠然とインスタントコーヒーを啜《すす》った。

「わかったよ。退散すりゃいいんだろ」草薙は椅子から腰を上げた。

「本人たちはどうなんだ。映画館に行ってたことを証明する術を持ってないのか」コーヒーカップを持ったまま湯川が訊いてきた。

「映画のストーリーは記憶しているようだった。だけど、いつ見に行ったのかはわからんからな」

「チケットの半券は？」

この質問に、草薙は思わず湯川の顔を見返した。彼と目が合った。

「持ってたよ」

「ふうん。どこから出してきた？」湯川の眼鏡がきらりと光った。

草薙は、ふっと笑った。

「おまえのいいたいことぐらいはわかってるよ。チケットの半券なんてものは、ふつうは後生大事に保管しないものだ。俺だって、花岡靖子が戸棚から出してきたりしたら変だと思わざるをえない」

「ということは、そんなところから出してきたのではないんだな」

「最初は、半券なんて捨てたと思うといってたんだ。ところが、もしかしたらってことでその時に買ったパンフレットを開いたら、そこに挟まっていたというわけだ」

「パンフレットからねえ。まあ、不自然な話ではないな」湯川は腕組みした。「半券の日付は事件当日のものだったんだな」

「もちろんそうだ。でも、だからといって映画を見たとはかぎらない。ゴミ箱か何かから半券を拾ったのかもしれないし、チケットは買ったが、映画館には入らなかったということも考えられる」

「しかしいずれにしてもその容疑者は、映画館もしくはその近くに行ったわけだ」

「そう思ったから、俺たちも今朝から聞き込みに回っている。目撃情報を探すためにさ。ところがその日チケットのモギリをしていたバイトの女の子が今日は休みでね、わざわざ自宅まで行ってきた。で、その帰りにこちらに寄らせてもらったというわけさ」

「そのモギリ嬢から有益な情報を得られた、という表情ではないな」湯川は口元を曲げるように笑った。

「何日も前だし、客の顔なんかいちいち覚えてるわけないよな。まあ、最初から当てにしてなかったから、別にがっかりもしてない。——さあ、助教授の邪魔らしいから、そろそろ行くぞ」草薙は、まだインスタントコーヒーを飲んでいる岸谷の背中を叩いた。

「しっかりな、刑事さん。その容疑者が真犯人なら、ちょっと苦労するかもしれんが」

湯川の言葉に、草薙は振り向いた。「どういう意味だ」

「今もいっただろ。ふつうの人間なら、アリバイ工作に用意した半券の保管場所にまで気を配らない。刑事が来た時のことを考えてパンフレットに挟んでおいたのだとしたら、相当な強敵だぞ」そういった湯川の目からは笑いは消えていた。

友人の言葉を反芻してから草薙は頷いた。「心に留めておくよ」

じゃあまた、といって彼は部屋を出ようとした。だがドアを開ける前に思い出したことがあって、再び振り返った。

「容疑者の隣におまえの先輩が住んでるぞ」

「先輩?」湯川は怪訝そうに首を傾げた。

「高校の数学教師で、石神とかいった。帝都大の出身だといってたから、たぶん理学部だと思うんだけどな」

「イシガミ……」呟くように繰り返した後、レンズの奥の目が大きくなった。「ダルマの石神か?」

「ダルマ?」

少し待っててくれといって湯川は隣の部屋に消えた。草薙は岸谷と顔を見合わせた。

すぐに湯川が戻ってきた。手に黒い表紙のファイルを持っていた。彼は草薙の前でそれを開いた。

「この男じゃなかったか」

その頁には何人かの顔写真が並んでいた。学生らしき若者たちだ。頁の上には、『第三十八期修士課程修了生』と印刷されている。

湯川が指差したのは、丸い顔をした大学院生の写真だった。表情がなく、糸のように細い目を正面に向けている。名前は石神哲哉となっていた。

「あっ、この人ですよ」岸谷がいった。「ずいぶん若いけど、間違いないです」

草薙は写真の顔の額から上を指で隠し、頷いた。

「そうだな。今はこの頃よりもっと髪が薄いから、すぐにはわからなかったけど、たしかにあの教師だ。知っている先輩か」

「先輩じゃなく、同期だ。当時うちの大学では、理学部生は三年生から専攻が分かれるようになっていた。僕は物理学科に進み、石神は数学科を選んだというわけだ」そういって湯川はファイルを閉じた。

「ということは、あのおっさんは俺とも同い年ってことか。へええ」

「彼は昔から老けて見えたからな」湯川はにやりと笑った後で、不意に意外そうな顔をした。

「教師? 高校の教師といったな」

「ああ、地元の高校で数学を教えているという話だった。それから柔道部の顧問もしているといってたぞ」

「柔道は子供の頃から習わされていたと聞いたことがある。お爺さんが道場を持っていたんじゃなかったかな。いや、それはともかく、あの石神が高校の教師とは……間違いないんだな」

「間違いないよ」

「そうか。君がそういうんだから、事実なんだろうな。噂を聞かないから、どこかの私立大学で研究しているんだろうと想像していたんだけど、まさか高校教師とはな。あの石神が……」湯川の視線はどこか虚ろになっていた。

「そんなに優秀な人だったんですか」岸谷が訊いた。

湯川はふっと吐息をついた。

「天才なんて言葉を迂闊《うかつ》には使いたくないけど、彼には相応《ふさわ》しかったんじゃないかな。五十年か百年に一人の逸材といった教授もいたそうだ。学科は分かれたけれど、彼の優秀さは物理学科にも聞こえてきた。コンピュータを使った解法には興味がないくちで、深夜まで研究室に閉じこもり、紙と鉛筆だけで難問に挑むというタイプだった。その後ろ姿が印象的で、いつの間にかダルマという渾名がついたほどだ。もちろんこれは敬意を表しての渾名だけどね」

湯川の話を聞き、上には上がいるものなのだなと草薙は思った。彼は目の前にいる友人こそ天才だと思ってきた。

「そこまですごい人なのに、大学の教授とかになれないってことがあるんですか」岸谷がさらに訊く。

「それはまあ、大学というところはいろいろとあるからね」湯川は珍しく歯切れが悪い。

彼自身、くだらない人間関係のしがらみにストレスを感じることも多いのだろう、と草薙は想像した。

「彼は元気そうだったかい」湯川が草薙を見た。

「どうかな、病気には見えなかったけど。とにかく話していても、とっつきにくいというか、無愛想というか……」

「心を読めない男だろ」湯川は苦笑した。

「そういうことだ。ふつう刑事が訪ねてきたとなれば、どんな人間でも少しは驚くというか、狼《ろう》狽《ばい》するというか、とにかく何らかの反応があるのに、あの男はまるで無表情だった。自分以外のことには関心がないみたいだ」

「数学以外には関心がないんだよ。でも、それなりに魅力的な人物でもあるんだ。住所を教えてくれないか。今度、暇が出来たら会いに行ってみよう」

「おまえがそんなことをいうのは珍しいな」

草薙は手帳を出し、花岡靖子が住んでいるアパートの住所を湯川に教えた。それをメモに取る物理学者は、殺人事件には興味をなくしている様子だった。

午後六時二十八分、花岡靖子が自転車に乗って帰ってきた。その様子を石神は部屋の窓から見た。彼の前にある机には、膨大な量の計算式を書いた紙が並んでいた。それらの計算式と格闘するのが、学校から帰宅した後の彼の日課だった。しかし、せっかく柔道部の練習が休みだったというのに、今日はその作業に全く進展がなかった。今日にかぎらず、ここ数日はずっとそうだ。部屋で静かに隣室の様子を窺う、というのが習慣になりつつある。刑事が訪ねてこないかどうかを確かめているのだ。

刑事たちは昨夜も、やってきたようだ。以前石神のところにも来た、あの二人の刑事だ。警察手帳の身分証にあった草薙という名字は覚えている。

靖子の話によれば、予想通り彼等は映画館でのアリバイを確認しにきたようだ。映画館で何か印象的な出来事は起こらなかったか。映画館に入る前か出た後、あるいは映画館の中で誰かと会わなかったか。チケットの半券はあるか。中で何か買ったのならそのレシートはあるか。映画の内容はどんなもので、出演者は誰だったか――。

カラオケボックスのことは何も訊かなかったそうだから、そちらは裏づけが取れたのだろう。もとより、取れて当然だ。そういう場所を意識的に選んだのだ。

チケットの半券とパンフレットのレシートを、石神から指示された手順で刑事に見せた、と靖子はいった。映画の内容以外の質問には、何も思いつかないの一点張りで押し通したという。それもまた石神が事前に教えておいたとおりだ。

刑事たちはそれで帰ったそうだが、彼等があっさり諦めるとは思えなかった。映画館のアリバイを確認しに来たということは、花岡靖子を疑うに足るデータが出てきたとみるべきだろう。そのデータとはどんなものか。

石神は立ち上がり、ジャンパーを手にした。テレホンカードと財布、そして部屋の鍵を持って部屋を出た。

階段にさしかかったところで下から足音が聞こえてきた。彼は歩を緩めた。少し俯き加減になった。

階段を上がってきたのは靖子だった。彼女は、前にいるのが石神だとすぐには気づかなかった様子だ。すれ違う直前になって、はっとしたように足が止まりかけた。何かをいいたそうな気配が、下を向いたままの石神にも伝わってきた。

彼女が声を発する前に石神がいった。「こんばんは」

他の人間に接する時と同様の口調と低い声を彼は心がけた。そして決して目を合わせようとはしなかった。歩調も変えなかった。階段を黙々と下りていった。

どこで刑事が見張っているかわからないから、顔を合わせても、あくまでも単なる隣人同士のように振る舞うこと、というのも石神から靖子に出した指示のひとつだ。それを思い出したらしく、彼女も小声で、こんばんは、といった後は、無言で階段を上がっていった。

いつもの公衆電話まで歩くと、早速受話器を上げ、テレホンカードを差し込んだ。三十メートルほど離れたところに雑貨屋があり、そこの主人と思われる男が店じまいをしている。それ以外には、周りに人気はない。

「はい、あたしです」すぐに靖子の声が返ってきた。石神からの電話だとわかっている口調だった。そのことが彼は何となく嬉しかった。

「石神です。何か変わったことはありませんでしたか」

「あ、あの、刑事が来ました。お店に」

「『べんてん亭』に、ですか」

「はい。いつもと同じ刑事です」

「今度はどんなことを訊いてきましたか」

「それが、富樫が『べんてん亭』に来なかったかって」

「何と答えましたか」

「もちろん、来てませんと答えました。すると刑事は、あたしがいない時に来たのかもしれませんねとかいって、店の奥に入っていったんです。後で店長たちから聞いたら、富樫の写真を見せられたそうです。こういう人物が来なかったかって。あの刑事は、あたしを疑っています」

「あなたが疑われることは予定通りです。何もこわがることはない。刑事が訊いていったのはそのことだけですか」

「あと、以前働いていた店のことを訊かれました。錦糸町の飲み屋ですけど、今でもその店に行くことはあるかとか、店の者と連絡を取り合うことはあるかとか。石神さんから言われたとおり、そういうことはありませんと答えておきました。それで、あたしのほうから質問してみたんです。どうして前にいた店のことなんかを訊くんですかって。そうしたら、富樫が最近その店に来たんだっていわれました」

「ははあ、なるほど」石神は受話器を耳に当てたまま頷いた。「富樫はその店で、あなたのことをいろいろと嗅ぎ回っていたわけだ」

「そうらしいんです。『べんてん亭』のこともその店で知ったみたいです。刑事は、富樫はあたしを探していたようだから、『べんてん亭』に来ないはずがないんだけどなあなんて、いうんです。あたしは、そんなことといわれても来なかったんだから仕方がないでしょうと答えておきましたけど」

草薙という刑事のことを石神は思い出していた。どちらかといえば人当たりの良い雰囲気を持った男だった。話し方も柔らかく、威圧感はない。だが捜査一課にいるということは、それなりに情報収集能力を持っているということだ。相手を怖がらせて吐かせるタイプではなく、さりげなく真実を引き出すタイプなのだろう。郵便物の中から帝都大学の封筒を見つけた観察力も要注意だ。

「ほかには何か訊かれましたか」

「あたしが訊かれたのはそれだけです。でも美里が……」

石神は受話器をぎゅっと握りしめた。「彼女のところにも刑事が来たんですか」

「ええ。たった今聞いたんですけど、学校を出たところで話しかけられたそうです。あたしのところに来た二人の刑事だと思います」

「美里ちゃんはそこにいますか」

「はい。ちょっと代わります」

すぐ横にいたらしく、もしもし、という美里の声が聞こえた。

「刑事からはどんなことを訊かれた？」

「あの人の写真を見せられて、うちに来なかったかって……」

あの人というのは富樫のことだろう。

「来なかった、と答えたんだね」

「うん」

「ほかにはどんなことを？」

「映画のこと。映画を見たのは本当に十日だったかって。何か勘違いしてるんじゃないかって。

あたし、絶対に十日だったっていいました」

「すると刑事は何といった？」

「映画を見たことを、誰かに話したかとか、メールしたかとか」

「君は何と答えた？」

「メールはしなかったけど、友達には話したって答えました。そうしたら、その友達の名前を教えてくれないかって」

「教えたのかい」

「ミカのことだけ教えました」

「ミカちゃんというのは、映画のことを十二日に話した友達だったね」

「そうです」

「わかった。それでいいよ。刑事はほかに何か訊いたかい」

「あとは特に大したことは訊かれなかった。学校は楽しいかとか、バドミントンの練習はきついかとか。あの人、どうしてあたしがバドミントン部だってこと知ってるのかな。その時はラケットだって持ってなかったのに」

たぶん部屋に置いてあったのを見たのだろうと石神は推測した。やはりあの刑事の観察力には油断ができない。

「どうでしょうか」電話から聞こえてくる声が靖子のものに変わった。

「問題ありません」石神は声に力を込めた。彼女を安心させるためだった。「すべて計算通りに進んでいます。これからも刑事は来ると思いますが、私の指示を守っていただければ大丈夫です」

「ありがとうございます。石神さんだけが頼りです」

「がんばってください。あと少しの辛抱です。では、またあした」

電話を切り、テレホンカードを回収しながら、石神は最後の台詞について軽く後悔していた。あと少しの辛抱、というのは無責任すぎた。あと少し、とは具体的にどれほどの期間なのだ。定量的に示せないことはいうべきではない。

ともあれ、計算通りにことが進んでいるのは事実だった。富樫が靖子を探していたことが判明するのは時間の問題だと思っていたし、だからこそアリバイが必要だと判断したのだ。そしてそのアリバイに警察が疑いを持つのも予定通りだ。

美里のところへ刑事が来たというのも予想していたことではある。おそらく刑事たちは、アリバイを崩すには娘を攻めたほうが手っ取り早いと考えているのだろう。それを見越して様々な手は打ってあるが、抜けがないかどうかはもう一度チェックしたほうがいいかもしれない——。

そんなことを考えながら石神がアパートに戻ると、部屋の前に一人の男が立っていた。黒い薄手のコートを着た、背の高い男だった。石神の足音を聞いたからか、男は彼のほうに顔を向けていた。眼鏡のレンズが光っていた。

刑事かな、とまず思った。だがすぐに、違う、と思い直した。男の靴は新品同様の美麗さを保っていた。

警戒しながら近づいた時、相手が口を開いた。「石神だろ」

その声に石神は相手の顔を見上げた。その顔には笑みが浮かんでいた。しかもその笑みに見覚えがあった。

石神は大きく息を吸い、目を見開いた。「湯川学か」

二十年以上前の記憶が、みずみずしく蘇ってきた。

6

その日もいつものように教室はがらがらだった。詰めれば百人は入れる部屋だが、座っているのは多く見積もっても二十人といったところだった。しかもその殆どの学生が、出欠を取り終えたら即座に退出できるよう、あるいは自分勝手な内職をできるよう、後方の席に座っていた。数学科志望の学生は特に少なかった。石神以外には誰もいなかったといってもいい。応用物理学の歴史的背景ばかりを聞かされるその講義は、学生たちには人気がなかった。

石神にしてもその講義にさほど関心はなかったが、いつもの習慣で、最前列の左から二番目の席についていた。どの講義でも彼はその位置か、それに近い場所に着席することにしていた。真ん中に座らないのは、講義を客観的に捉えたいという意識があったからだ。彼は、どんなに優秀な教授でも、いつも正しいことを語るわけではないということを知っていた。

彼は大抵孤独だったが、その日は珍しくすぐ後ろに座った者がいた。しかしそのことについてさほど気には留めなかった。講師が来るまでの間、彼にはやるべきことがあった。ノートを取り出し、ある問題と取り組んでいた。

「君もエルデシュ信者かい」

最初、その声が自分に対して発せられたものだとは石神は気づかなかった。しばらくして顔を上げる気になったのは、エルデシュという名前を口にする人間がいることに興味がわいたからだ。彼は後ろを振り向いた。

髪を肩まで伸ばし、シャツの胸元をはだけた男が頬杖をついていた。首には金色のネックレスをつけていた。時々見かける顔だった。物理学科志望の学生だということは知っていた。

声をかけてきたのは、まさかこの男ではあるまい——石神がそう思った直後、長髪の男は頬杖をしたまま いった。「紙と鉛筆には限界があるぜ。まあトライすることには意味があるかもしれんが」

同じ声だったので、石神は少し驚いた。

「俺が何をしてるのか知ってるのか」

「ちらりと見えた。覗こうと思ったわけじゃない」長髪の男は石神の机を指差した。

石神は自分のノートに目を戻した。数式が書かれているが、それは全体の途中であり、ごく一部にすぎなかった。一目見て、何を解いているのかわかったとすれば、この問題に取り組んだ経験があるということだ。

「おたくもやったことがあるのか」石神は訊いた。

長髪の男はようやく頬杖を外し、苦笑を浮かべた。

「こっちは不必要なことはしない主義なんだ。何しろ、物理学科志望だからな。数学者が作り上げた定理を使わせてもらうだけだ。証明は君たちに任せる」

「でもこいつには興味があるわけか」石神は自分のノートを手にした。

「証明済みだからな。証明されたことは知っておいて損はない」彼は石神の目を見て続けた。

「四色問題は証明された。すべての地図は四色で塗り分けられる」

「すべてじゃない」

「そうだった。平面または球面上、という条件つきだったな」

それは数学界において最も有名な問題のひとつだった。『平面または球面上のどんな地図も四色で塗り分けられるかどうか』というもので、一八七九年にA・ケーリーによって提出された。塗り分けられることを証明するか、それが不可能な地図を考案すればいいわけだが、解決されるまでに百年近くを要した。証明したのはイリノイ大学のケネス・アッペルとウォルフガング・ハーケンで、ふたりはコンピュータを用い、あらゆる地図が約百五十の基本的な地図のバリエーションでしかないことを確かめ、それらすべてについて四色で塗り分けられることを証明したのだ。一九七六年のことだった。

「俺はあれが完全な証明だとは思っていない」石神はいった。

「そうなんだろうな。だからこそ、そうやって紙と鉛筆で解こうとしているわけだ」

「あのやり方は人間が手作業で調べるには膨大すぎる。だからこそコンピュータを使ったんだろうが、おかげでその証明が正しいのかどうかを完璧に判断する手段がない。確認にもコンピュータを使わなければならないなんてのは、本当の数学じゃない」

「やっぱりエルデシュ信者だ」長髪の男はにっこり笑った。

ポール・エルデシュはハンガリー生まれの数学者だ。世界各地を放浪しながら、各地の数学者と共同研究を成したことで有名だ。よい定理には美しく自然で簡明な証明が必ずある、という信念を持っていた。四色問題についても、アッペルとハーケンの証明はおそらく正しいだろうと認めつつ、その証明は美しくないと語っていた。

長髪の男は石神の本質を見抜いていた。彼はまさに「エルデシュ信者」だった。

「一昨日、数値解析の試験問題について教授のところへ質問に行った」長髪の男は話題を変えた。「問題としてはミスはないんだけれど、得られる解答がエレガントじゃなかったものでね。案の定、ちょっとした印刷ミスがあったらしい。ところが驚いたことに、同様の質問をしてきた学生がほかにいたらしいんだな。正直いって悔しかった。あの問題を完璧に解けたのは自分だけだろうと自惚《うぬぼ》れていたからね」

「あれぐらいは……」そこまでいったところで石神は言葉を呑んだ。

「解けて当然、あの石神なら——教授もそういってたよ。やっぱり上には上がいる。自分に数学科は無理だと思った」

「おたく、物理学科志望といったな」

「湯川だ。よろしく」彼は石神に握手を求めてきた。

変わった男だなと思いながら石神はそれに応じた。そして、なんだかおかしくなった。変わった男だといわれるのは常に自分だと思ってきたからだ。

湯川とは特に友達付き合いをしたわけではなかったが、顔を合わせた時には必ずといっていいほど言葉を交わした。彼は博学で、数学や物理学以外のこともよく知っていた。石神が内心は馬鹿にしている文学や芸能についても詳しかった。もっとも、その知識がどの程度に深いものかは石神にはわからなかった。彼自身が判断基準を持っていなかったし、湯川は石神が数学以外のことには興味を示さないと知ったのか、間もなく畑違いの話題は出してこなくなったからだ。

それでも石神にとって湯川は、大学に入って初めて出来た話仲間であり、実力を認められる人物だった。

やがて二人はあまり顔を合わさなくなった。数学科と物理学科というふうに進路がわかれたからだ。この学科間での転籍は、ある一定基準の成績に達していれば認められていたが、どちらも変更を望まなかった。それはお互いにとって正解だったと石神は思っている。どちらも自分に適した道を選んだのだ。この世のすべてを理論によって構築したいという野望は二人に共通したものだったが、そのアプローチ方法は正反対だった。石神は数式というブロックを積み上げていくことでそれを成し遂げようとした。一方湯川は、まず観察することから始める。その上で謎を発見し、それを解明していくのだ。石神はシミュレーションが好きだったが、湯川は実験に意欲的だった。

めったに顔は合わせなかったが、湯川の噂は時折石神の耳にも入ってきた。大学院二年の秋、彼の考案した『磁界歯車』を某アメリカ企業が買いにきたという話を聞いた時には、素直に感服した。

修士課程修了後に湯川がどうしたのか、石神は知らない。彼自身が大学を去ったからだ。そして会わないまま二十年以上の月日が流れていた。

「へえ、相変わらずだな」部屋に入り、書棚を見上げるなり湯川はいった。

「何がだ」

「数学三昧《ざんまい》だな、と思ったんだよ。うちの数学科の連中でも、個人的にこれだけの資料を揃えている者はいないんじゃないかな」

石神は何もいわなかった。書棚には単なる関係書籍だけでなく、様々な国の学会資料をファイルしたものも並んでいる。主にインターネットを利用して入手したのだが、生半可《なまはんか》な研究者よりも現在の数学界には精通しているという自負が彼にはあった。

「とにかく座れよ。コーヒーでも入れるから」

「コーヒーも悪くないが、こういうものを持ってきた」湯川は提げていた紙袋から箱を取り出した。有名な日本酒だった。

「なんだ、そんな気を遣わなくてもよかったのに」

「久しぶりに会うのに、手ぶらってのも何だからな」

「すまんな。じゃあ、寿司でも取ろう。食事、まだなんだろ」

「いや、そっちこそ気を遣わないでくれ」

「俺もまだ食べてないんだよ」

電話の子機を手にし、店屋物を注文する時のために作ってあるファイルを開いた。しかし寿司屋の品書きを見て、少し迷った。いつも注文するのは並の盛り合わせだった。

電話をかけ、盛り合わせの上と刺身を注文した。寿司屋の店員は意外そうに受け答えをしていた。この部屋にきちんとした客が来るのは何年ぶりだろうと石神は思った。

「それにしても驚いたな。湯川が来るなんて」座りながら彼はいった。

「知り合いからたまたま聞いて、懐かしくなったものだから」

「知り合い？　そんな人間いたかな」

「うん、それがまあ妙な話でね」湯川はいいづらそうに鼻の横を掻いた。「警視庁の刑事がここに来ただろ。草薙という男だ」

「刑事？」

石神はどきりとしたが、それを顔に出さぬよう気をつけた。そして改めてかつての学友の顔を見た。この男は何かを知っているのだろうか——。

「あの刑事、同期なんだ」

湯川の口から出たのは、意外な言葉だった。

「同期？」

「バドミントン部の、さ。ああ見えても我らと同じ帝都大の出身だ。社会学部だけどな」

「ああ……そうだったのか」石神の胸に広がりかけていた不安の雲が急速に消えた。「そういえば彼、俺のところに来た大学からの封筒をじろじろ見ていたな。帝都大ってことにこだわっているように思えたのはそのせいか。でもそれなら、あの時にそういってくれればよかったのに」

「あの男にとって帝都大理学部の卒業生は同級生でも何でもないんだよ。違う人種だと思っている」

石神は頷いた。それはお互い様だと思った。同じ時期に同じ大学に通っていた人間が今は刑事になっているのかと思うと妙な感じがした。

「草薙から聞いたんだが、今は高校で数学を教えてるとか」湯川は真っ直ぐに石神の顔を見つめてきた。

「この近くの高校だ」

「そうらしいな」

「湯川は大学にいるんだろ」

「うん。十三研究室にいる」あっさりとした口調でいった。演技でなく、本心から自慢する気はないのだろうと石神は解釈した。

「教授か」

「いや、その手前でうろうろしている。上が詰まってるからな」湯川は屈託なくいった。

「『磁界歯車』の功績があるから、今頃は教授になっているとばかり思っていたが」

石神の言葉に、湯川は笑って顔をこすった。

「その名称を覚えているのは石神ぐらいだ。結局実用化されず、今じゃ机上の空論扱いってところかな」そういって彼は持参してきた酒の蓋を開け始めた。

石神は立ち上がり、コップを二つ、棚から出した。

「石神こそ、今頃はどこかの大学の教授におさまって、リーマン予想にでも挑戦しているんだろうと思ってたんだけどな」湯川はいった。「ダルマの石神が一体どうしたんだ。それともエルデシュに義理立てして、放浪の数学者を気取ってるのか」

「そんなんじゃあないさ」石神は小さく吐息をついた。

「まあ、とにかく一杯やろう」湯川は深く尋ねようとはせず、コップに酒を注いだ。

もちろん石神も生涯を数学の研究に捧げるつもりだった。修士課程修了後には、湯川と同様に大学に残って博士号を目指す決意をしていた。

それが叶わなかったのは、両親の面倒を見なければならなくなったからだ。どちらも高齢で、持病があった。アルバイトをしながら大学院に通うことはできても、両親の生活費までは捻出できない。

そんな時、ある新設の大学で助手を探しているという話を教授が教えてくれた。自宅から通える距離であり、数学の研究を続けられるのならと思い、その話に乗ることにした。結局それが彼の人生を狂わせることになった。

その大学では研究らしいことは何ひとつできなかった。教授たちは権力争いと保身のことしか考えておらず、優れた学者を育てようという意識も、画期的な研究を成し遂げようという野心もなかった。石神が苦労して書き上げた研究レポートは、いつまで経っても教授の引き出しに入ったままだった。おまけに学生のレベルは低く、高校数学でさえ満足に理解していない者の面倒を見るのに、石神の研究時間は割かれた。それほどの我慢を強いられるわりに賃金はあきれるほどに低かった。

ほかの大学での再就職を望んだが、希望は叶いそうになかった。そもそも数学科を置いている大学が少ないのだ。置いていたとしても予算が少なく、助手を入れる余裕がない。工学部と違い、企業がスポンサーについてくれることもないからだ。

人生の方向転換を迫られていた。彼は学生時代に取得していた教員資格を生活の糧とする道を選んだ。同時に、数学者として身を立てる道を諦めた。

そんな話を湯川にしたところで仕方がないと思った。研究者としての道を断念せざるをえなくなった人間には、大体似たような事情がある。自分の場合もさほど珍しいことではないと石神は理解していた。

寿司と刺身が届いたので、それを食べながらさらに酒を飲んだ。湯川の持参した酒が空になったので、石神はウイスキーを出した。めったに飲まないが、数学の難問を解いた後など、頭の疲労を取るためにちびちびと舐めるのが好きだった。

話が弾むというほどではなかったが、学生時代の思い出を絡めながら数学のことを語るのは楽しかった。ずいぶん長い間、こういう時間を失っていたことに、石神は改めて気づいた。大学を出て以来、初めてかもしれなかった。この男以外に自分を理解してくれる者はおらず、また自分が対等の人間として認められる者もいなかったのかもしれない、と湯川を見ながら石神は思った。

「そうだ、大事なことを忘れていた」湯川が不意にそういって、紙袋の中から大判の茶封筒を出してきた。それを石神の前に置いた。

「なんだ、これ」

「まあ、中を見てくれ」湯川はにやにやしていた。

封筒の中にはA４のレポート用紙が入っており、そこには数式がびっしりと書き込まれていた。一枚目にさっと目を通し、それが何であるかを石神は悟った。

「リーマン予想の反証を試みているわけか」

「一目で見抜いたな」

リーマン予想とは、現在の数学で最も有名だといわれている難問だ。数学者リーマンが立てた仮説が正しいことを証明すればいいのだが、未だ誰も成し遂げていない。

湯川が出してきたレポートの内容は、仮説が正しくないことを証明しようとしているものだった。そういった取り組みをしている学者が世界中にいることを石神は知っていた。もちろん、その反証に成功した者もまだいない。

「数学科の教授にコピーさせてもらってきた。まだどこにも発表されていない。反証には至っていないが、いいセンまでいっているようには思う」湯川はいった。

「リーマンの仮説は間違っているというのか」

「いいセンまでいってるといっただけだ。仮説が正しいなら、その論文のどこかにミスがあることになる」

悪戯小僧が悪巧みの首尾を確認するような目を湯川はした。それを見て石神は彼の狙いを察知した。彼は挑発しているのだ。同時に、「ダルマの石神」がどこまで衰えたかを見極めようとしているのだ。

「ちょっと見せてもらっていいか」

「そのために持ってきた」

石神は論文を目にした。やがて彼は腰を上げ、机に向かった。横に新しいレポート用紙を広げ、ボールペンを手にした。

「P≠NP問題というのは当然知っているよな」湯川が後ろから声をかけてきた。

石神は振り返った。

「数学の問題に対し、自分で考えて答えを出すのと、他人から聞いた答えが正しいかどうかを確認するのとでは、どちらが簡単か。あるいはその難しさの度合いはどの程度か——クレイ数学研究所が賞金をかけて出している問題の一つだ」

「さすがだな」湯川は笑ってグラスを傾けた。

石神は机に向き直った。

数学は宝探しに似ている、と彼は思っている。まずどのポイントを攻めればいいかを見極め、解答に辿り着くまでの発掘ルートを考案するのだ。そのプラン通りに数式を組み立てていき、手がかりを得ていく。何も得られなければ、ルートを変更しなければならない。そうしたことを地道に、気長に、しかし大胆に行うことによって、誰も見つけられなかった宝すなわち正解に行き着けるのだ。

そうした喩《たと》えを使うなら、他人の解法を検証するというのは、単に発掘ルートをなぞるだけで簡単なことのように思える。しかし実際はそうではなかった。間違ったルートを進み、偽の宝物に辿り着いている結果について、その宝が偽物だと証明するのは、時に本物を探すよりも難しい場合がある。だからこそＰ≠ＮＰ問題などという途方もない問題が提示されているのだ。

石神は時間を忘れた。闘争心と探求心、さらには誇りが彼を興奮させていた。彼の目は数式から一時も離れることがなく、脳細胞はそれらを操ることのみに使われた。


突然石神は立ち上がった。レポートを手にし、後ろを振り向いた。湯川はコートをかぶり、身体を丸めて眠っていた。その肩を揺すった。

「起きてくれ、わかったぞ」

湯川は寝ぼけ眼でゆっくりと身体を起こした。顔をこすり、石神を見上げた。

「何だって？」

「わかったんだよ。残念ながら、この反証には間違いがある。面白い試みだが、素数の分布について根本的な誤りがあって――」

「ちょっと待った。待ってくれ」湯川が石神の顔の前に手を出してきた。「寝起きの頭で君の難解な説明を聞いたって、わかるわけがない。いや、頭が冴えてる時でも無理だ。白状すると、リーマン予想なんて僕にはお手上げなんだよ。君が面白がると思って、持ってきただけだ」

「いいセンいってるとかいったじゃないか」

「数学科の教授の受け売りだ。じつは反証にミスがあることはわかっていて、それで発表されなかったんだ」

「じゃあ、俺がミスに気づいても当然ということか」石神は落胆した。

「いや、すごいと思うよ。少々出来のいい数学者でも、即座にはミスに気づかないだろうとその教授はいっていた」湯川は腕時計を見た。「君はたったの六時間で見抜いた。見事だと思う」

「六時間？」石神は窓を見た。外はすでに白み始めていた。目覚まし時計を見ると、五時近くになっている。

「相変わらずだな。安心したよ」湯川がいった。「ダルマの石神は健在だ。後ろ姿を見ながらそう思った」

「すまん。湯川がいることを忘れていた」

「構わんさ。それより君も少し眠ったほうがいい。今日も学校だろ」

「そうだな。でも興奮して眠れそうにない。こんなに集中したのは久しぶりだ。ありがとう」石神は手を差し出した。

「来てよかった」そういって湯川は握手してきた。

七時まで少し眠った。頭が疲労していたのか、精神的充足感が大きかったのか、その短い間に石神は熟睡した。目覚めた時にはいつもより頭がすっきりしていた。

石神が支度をしていると湯川がいった。「お隣さん、早いんだな」

「お隣さんって？」

「さっき、出かける物音がした。六時半を少し過ぎた頃かな」

湯川は起きていたらしい。

何かいったほうがいいだろうかと石神が考えていると、続けて湯川がいった。

「さっき話した刑事の草薙という男によると、お隣さんは容疑者らしいな。それで君のところにも聞き込みをしたそうだ」

石神は平静を装い、上着を羽織った。「彼は事件のことを湯川に話すのかい？」

「まあ時々はね。油を売りに来るついでに愚痴って帰る、というところかな」

「一体どういう事件なのかな。草薙刑事……だっけ、彼は詳しいことを話してくれなかったんだが」

「一人の男が殺された、という事件らしい。その男がお隣さんの別れた亭主だってさ」

「そういうことか……」石神は無表情を保った。

「君はお隣とは付き合いがあるのかい」湯川が訊いてきた。

石神は瞬時に考えを巡らせた。口調だけから推測すると、湯川は特に深い意図があって尋ねてきたわけではなさそうだ。だから適当に流すこともできる。しかし彼が刑事と親しいという点に石神はこだわった。こうして再会したことを彼は草薙に話すかもしれない。それを考慮して、ここでは答えなければならない。

「付き合いはないんだが、じつは花岡さん——お隣さんは花岡さんというんだけど、彼女が働いている弁当屋にはちょくちょく行く。このことはうっかりしていて草薙刑事にはいわなかったんだがね」

「ふうん、弁当屋さんか」湯川は頷いた。

「お隣さんが働いている店だから買いに行ってるんじゃなくて、たまたま行った店で彼女が働いていたというだけのことなんだ。学校の近くでね」

「そうか。でもその程度の知り合いでも、容疑者というのはいい気分がしないだろう」

「別に。自分には関係のないことだ」

「それもそうだな」

湯川は特に怪しんでいるふうではなかった。

七時三十分に二人で部屋を出た。湯川は最寄りの森下駅には向かわず、石神と一緒に高校のそばまで行くといった。そのほうが電車の乗り換えが少なくて済むらしい。

湯川は、事件や花岡靖子のことはもう話題にしなかった。先刻は、もしかしたら草薙に頼まれて何かを探りにきたのかと疑ったのだが、どうやら考えすぎらしいと石神は思った。そもそも草薙には、そんな手を使ってまで石神のことを探ろうとする理由はないはずだった。

「なかなか興味深い通勤コースだな」湯川がそんなふうにいったのは、新大橋の下をくぐり、隅田川に沿って歩き始めた時だった。ホームレスの住処が並んでいるからだろう。

白髪混じりの髪を後ろで縛っている男が洗濯物を干していた。その先には石神が『缶男』と名付けている男が例によって空き缶を潰していた。

「いつもと同じ光景だ」石神はいった。「この一か月間、何も変わっちゃいない。彼等は時計のように正確に生きている」

「人間は時計から解放されるとかえってそうなる」

「同感だ」

清洲橋の手前で階段を上がった。すぐそばにオフィスビルが建っている。一階のガラスドアに映った自分たちの姿を見て、石神は小さく首を振った。

「それにしても湯川はいつまでも若々しいな。俺なんかとは大違いだ。髪もどっさりあるし」

「いやあ、これでもずいぶん衰えた。髪はともかく、頭の働きは鈍くなったと思うよ」

「贅沢なことを」

軽口を叩きながらも石神は少し緊張を覚えていた。このままだと湯川は『べんてん亭』までついてくるだろう。花岡靖子と自分との関係について、この洞察力に優れた天才物理学者が何か感づきはしないかと少し不安になった。また、石神が見知らぬ男と一緒にやってきたことで、靖子が狼狽を見せないともかぎらない。

店の看板が見えてきたところで石神はいった。

「あれがさっき話した弁当屋だ」

「ふうん。『べんてん亭』か。面白いネーミングだな」

「今日も買っていくよ」

「そうか。じゃあ、僕はここで」湯川は立ち止まった。

意外ではあったが、助かったと石神は思った。

「ろくな持てなしができなくて申し訳なかった」

「最高の持てなしをしてもらったさ」湯川は目を細めた。「もう、大学に戻って研究する気はないのか」

石神はかぶりを振った。

「大学で出来ることは自分一人でも出来る。それに、この歳からじゃあ引き取ってくれる大学はないだろう」

「そんなことはないと思うけど、まあ、無理にとはいわない。これからもがんばってくれ」

「湯川もな」

「会えてよかった」

握手した後、湯川が遠ざかっていくのを石神は見送った。名残《なごり》惜しかったわけではない。自分が『べんてん亭』に入っていくところを見られたくなかったからだ。

湯川の姿が完全に消えた後、彼は踵を返し、足早に歩きだした。

7

石神の顔を見て、靖子はなぜか安堵した。彼が穏やかな表情をしていたからだ。昨夜、珍しく彼の部屋に来客があったようで、遅くまで話し声が聞こえていた。もしや刑事ではないのかと気に病んでいた。

「おまかせ弁当を」いつものように抑揚のない声で彼は注文した。そしていつものように靖子の顔を見ようとしない。

「はい、おまかせひとつ。ありがとうございます」応えてから彼女は小声で囁《ささや》いた。「昨日、どなたかお客さんが？」

「あ……ああ」石神は顔を上げ、驚いたように瞬《まばた》きした。それから周囲を見回し、低い声を出した。「話はしないほうがいいです。刑事がどこで見張ってるかわからない」

「ごめんなさい」靖子は首をすくめた。

弁当が出来上がるまで、二人は無言だった。目も合わせないようにした。

靖子は通りに目を向けるが、誰かが見張っている気配はまるでない。もちろん、もし本当に刑事が張り込んでいたとしても、気づかれないように行動しているに違いなかった。

弁当が出来てきた。彼女はそれを石神に渡した。

「同窓生です」代金を支払いながら彼はぼそりといった。

「えっ？」

「大学の同窓生が訪ねてきたんです。お騒がせしてすみませんでした」石神は極力唇を動かさずに話している。

「いえ、そんな」靖子はつい笑顔を浮かべていた。その口元が外から見えないよう、俯いた。

「そうだったんですか。お客さんなんて珍しいなと思って」

「初めてです。私もびっくりしました」

「よかったですね」

「ええ、まあ」石神は弁当の袋を提げた。「じゃ、また今夜」

電話をかけるということらしい。はい、と靖子は答えた。

石神の丸い背中が通りに出ていくのを見送りながら、世捨て人の雰囲気のある彼にも訪ねてくる友人がいるのだなと意外に思った。

朝のピーク時が過ぎると、いつものように奥で小代子たちと休憩を取ることにした。小代子は甘いものが好きだ。大福を彼女は出してくれた。辛党の米沢は関心がなさそうな顔をして茶を啜っている。バイトの金子は配達中だ。

「昨日は、あれからもう何もいってこなかった?」茶を一口飲んでから小代子が訊いた。

「誰が？」

「連中よ。刑事の奴ら」小代子は顔をしかめた。「結構しつこく旦那のことを訊いてきたからさ、夜になって、またあんたのところに行ったんじゃないかって話してたの。ねえ」彼女は米沢に同意を求めた。無口な米沢は小さく頷いただけだ。

「ああ、あの後は何もないけど」

実際には美里が学校のそばで質問を受けたのだが、そのことはいう必要がないだろうと靖子は判断した。

「それならよかった。刑事っていうのは、しつこいっていうからさあ」

「一応話を聞きにきただけだろ」米沢がいった。「靖子ちゃんを疑ってるわけじゃない。連中にも、いろいろと手続きってものがあるんだよ」

「まあ、刑事といったって役人だもんね。だけどこういっちゃ何だけど、富樫さん、うちに来てなくてよかったよね。殺される前にうちに来てたらさ、それこそ靖子が疑われるところだったんじゃない？」

「まさか、そんな馬鹿なことあるわけないだろ」米沢が苦笑を浮かべた。

「わかんないわよ。だってさ、富樫さんが『まりあん』で靖子のことを訊いてたから、ここに来ないはずはないなんていってたじゃない。あれは疑ってる顔だね」

『まりあん』というのは、靖子や小代子が働いていた錦糸町の店だ。

「そんなことといったって、来てないんだからしょうがないだろ」

「だから、来なくてよかったといってんのよ。富樫さんが一度でも来ててごらんなさいよ、あの刑事はしつこく靖子につきまとったわよ、きっと」

そうかなあ、と米沢は首を捻っている。その顔に、この問題を重視している気配はない。

もし、実際には富樫が来たと二人が知ったら一体どんな顔をするだろう、と靖子はいたたまれない気持ちになった。

「まあ気分はよくないけどさ、少しの辛抱だよ、靖子」小代子が気楽な調子でいう。「別れた亭主が変な死に方をしたんだから、刑事だって来るよ。どうせそのうちに何もいってこなくなるわけだし、そうなったら今度は本当に気楽になれるじゃない。あんた、富樫さんのことを気に病んでたからさ」

それはまあね、と靖子は無理に笑顔を作った。

「あたしはさ、正直いって、富樫さんが殺されてよかったと思ってるんだよね」

「おい」

「いいじゃないの。本音をいってるだけでしょ。あんたはね、靖子があの男のためにどれだけ苦労させられたか知らないのよ」

「おまえだって知らないだろう」

「直接は知らないけど、靖子からいろいろと話は聞かされてるわよ。その男から逃げるために『まりあん』で働きだしたんだから。そんなのがまた靖子のことを探してたなんて、ほんと考えただけでぞっとする。どこの誰か知らないけど、殺してくれてありがとうって気分ね」

米沢は呆れたような顔をして立ち上がった。その後ろ姿を不快そうに見送った後、小代子は靖子のほうに顔を寄せてきた。

「でも、一体何があったんだろうね。借金取りにでも追われてたのかな」

「さあ」靖子は首を傾げた。

「まあ、あんたに飛び火しなけりゃいいんだけどね。それだけが心配」早口でいった後、小代子は大福の残りを口に入れた。

店頭に戻った後も、靖子の気持ちは重かった。米沢夫妻は何ひとつ疑っていない。むしろ事件によって靖子が被《こうむ》る様々な弊害について心配してくれている。そんな二人を欺《あざむ》いていると思うと心が痛んだ。しかし、もし靖子が逮捕されるようなことになれば、二人にかける迷惑は尋常なものではない。『べんてん亭』の経営にも支障が出るだろう。そう考えると、完璧に隠す以外に残された道はないと思った。

そんなことを考えながら彼女は仕事を続けた。ついぼんやりしそうになるが、今ここで商売に身が入らないのではお話にならないと思い、客の応対をする時には気持ちを集中させた。

六時が近くなり、客足が途絶えてしばらくした頃、店のドアが開いた。

「いらっしゃいませ」反射的に声を出し、客の顔を見た。同時に靖子は目を丸くしていた。「あら……」

「よう」男は笑った。目の両端に皺が寄っている。

「工藤さん」靖子は開いた口元に手をやっていた。「どうしたの？」

「どうしたってことはないだろ。弁当を買いにきたんだよ。へえ、ずいぶんとメニューが豊富じゃないか」工藤は弁当の写真を見上げた。

「『まりあん』で聞いてきたの？」

「まあな」彼はにやりとした。「昨日、久しぶりに店に行ったんだ」

靖子は弁当の受け取りカウンターから奥に呼びかけた。「小代子さん、大変。ちょっと来て」

「どうしたの？」小代子が驚いたように目を見張った。

靖子は笑いながらいった。「工藤さんよ。工藤さんが来てくれた」

「えっ、工藤さんって……」小代子がエプロンを外しながら出てきた。笑顔で立っているコート姿の男を見上げ、大きく口を開いた。「わあ、工藤ちゃん」

「二人とも元気そうだな。ママは旦那さんとうまくやってるのか。この店を見れば、順調だってことはわかるけど」

「何とかやってますよ。でも、どうして突然来てくれたの？」

「うん、まあ、二人の顔を見たくなってさ」工藤は鼻を掻きながら靖子を見た。照れた時に彼が見せるその癖は、数年前から変わっていなかった。

靖子が赤坂で働いていた頃からの馴染み客だった。いつも指名してくれるし、彼女が出勤する前に一緒に食事をしたこともある。店が終わった後、二人で飲みに行くこともしばしばだった。富樫から逃げるように錦糸町の『まりあん』に移った時、靖子は工藤にだけはそのことを知らせた。すると彼はすぐに常連になった。『まりあん』を辞める時も、彼には一番最初に告げた。彼は少し寂しそうな顔をしながら、「がんばって幸せになれよ」といってくれたのだった。

それ以来の再会だった。

奥から米沢も出てきて昔話で盛り上がった。『まりあん』の常連客として、米沢と工藤も面識があったからだ。

ひとしきり話した後、「二人でお茶でも飲んでくれば」と小代子がいった。気をきかせたのだろう。米沢も頷いている。

靖子が工藤を見ると、「時間はあるの？」と彼は訊いてきた。最初からそのつもりでこんな時間を選んだのかもしれない。

じゃあ少しだけ、と彼女は笑顔で答えた。

店を出て、新大橋通りに向かって歩きだした。

「本当はゆっくり食事をしたいんだけど、今日はやめておこう。娘さんが待ってるだろうから」

工藤はいった。彼は靖子に娘がいることを、彼女が赤坂にいる頃から知っている。

「工藤さん、お子さんは元気？」

「元気だよ。今年はもう高校三年だ。受験のことを考えると頭が痛い」彼は顔をしかめた。

工藤は小さな印刷会社を経営している。家は大崎で、妻と息子との三人暮らしだと靖子は聞いていた。

新大橋通り沿いにある小さな喫茶店に入った。交差点のそばにファミリーレストランがあったのだが、靖子は意図的にそこを避けた。富樫と会った場所だからだ。

「『まりあん』に行ったのはさ、君のことを尋ねるためだったんだ。店を辞める時に、小代子ママの弁当屋で働くって話は聞いてたけど、場所とかは知らなかったから」

「急にあたしのことを思い出してくれたの？」

「うん、まあ、そうなんだけどさ」工藤は煙草に火をつけた。「じつは、ニュースで事件のことを知って、それでちょっと気になったんだよ。元の御主人、大変なことだったたね」

「ああ……よくわかったわね。あの人だって」

工藤は煙を吐きながら苦笑いした。

「そりゃわかるよ。富樫って名前だし、あの顔は忘れられないし」

「……ごめんなさい」

「君が謝ることはない」工藤は笑いながら手を振った。

彼が靖子に気があることは、無論彼女もわかっていた。彼女も好意を持っていた。しかし、いわゆる男女の関係になったことは一度もなかった。何度かホテルに誘われたことはある。そのたびに彼女はやんわりと断った。妻子ある男性との不倫に踏み切る勇気はなかったし、その時点では工藤に隠していたが、彼女にも夫がいた。

工藤が富樫と会ってしまったのは、靖子を家まで送った時だ。彼女はいつも少し離れたところでタクシーを降りるし、その時もそうしたのだが、タクシーの中に煙草入れを落としてしまった。工藤はそれを届けようと後を追い、彼女がアパートの一室に消えるのを目撃した。彼はそのまま部屋を訪ねた。ところがドアを開けて出てきたのは、靖子ではなく知らない男――富樫だった。

その時富樫は酔っていた。突然訪ねてきた工藤を、靖子にしつこくいい寄っている客だと断定した。工藤が何の説明もせぬうちに怒りだし、殴りかかった。シャワーを浴びようとしていた靖子が止めなければ、包丁を手にしかねない剣幕だった。

後日、靖子は富樫を連れて、工藤のところへ謝りに行った。その時には富樫も殊勝な顔でおとなしくしていた。警察へ届けられたらまずいと思ったからだろう。

工藤は怒らなかった。奥さんにいつまでも水商売を続けさせるのはよくないと富樫に注意しただけだった。富樫は明らかに不快そうだったが、黙って頷いていた。

その後も工藤は、それまでと変わらず店に来てくれた。靖子に対する態度も同じだった。ただし店外で会うことはなくなった。

周りに人がいない時などごくたまに、富樫のことを尋ねてきた。大抵は、仕事は見つかったのか、という問いだった。彼女はいつもかぶりを振るしかなかった。

富樫の暴力に最初に気づいたのも工藤だった。顔や身体に出来た痣《あざ》を彼女は化粧などで巧妙に隠していたが、彼の目だけはごまかせなかったのだ。

弁護士に相談したほうがいい、費用は自分がもつ――工藤はそういってくれたのだった。

「それで、どうなの。君の周りに何か変わったことはないのかい」

「変わったことって……それはまあ、警察の人が来たりとかはするけど」

「やっぱりそうか。そんなことじゃないかと思った」工藤は舌打ちをしそうな顔をした。

「別に、心配するようなことはないから」靖子は笑いかけた。

「何かいってくるのは警察だけ？　マスコミの連中とかは？」

「それは何も」

「そうか。それならよかった。まあ、マスコミが飛びつくような派手な事件ではないと思ったんだけど、万一嫌な目に遭っているようなら何か手助けしたいと思ってね」

「ありがとう。相変わらず優しいのね」

彼女の言葉に工藤は照れたようだ。俯いてコーヒーカップに手を伸ばした。

「じゃあ、靖子ちゃんは事件とは特に関係ないんだね」

「ないわよ。あると思ってたの？」

「ニュースを見た時、まず君のことを思い出した。それで、急に不安になったんだ。何しろ殺人事件だからね。あの人がどんな理由で誰に殺されたのかは知らないけど、今度は君にとばっちりがくるんじゃないかってね」

「小代子さんも同じことをいってた。誰でも考えることは同じなのね」

「こうして靖子ちゃんの元気そうな顔を見ていると、やっぱり考えすぎだったんだなと思うけどね。君はあの人とは何年も前に離婚しているわけだし。最近はもう会うことはなかったんだろ？」

「あの人と？」

「そう。富樫さんと」

「ないわよ」そう答えた時、微妙に頬が強張るのを靖子は感じた。

この後、工藤は自分の近況について語りだした。不景気だが、会社は何とか業績を維持しているらしい。家庭については、一人息子のこと以外は話したがらない。それは昔からのことだった。だから彼と妻との仲については靖子には全くわからないのだが、おそらく不仲ということはないだろうと想像していた。外で他人に配慮できる男は概《おおむ》ね家庭が円満だというのは、靖子がホステス時代に悟ったことだ。

喫茶店のドアを開けると、外は雨になっていた。

「悪いことしちゃったな。さっさと帰れば雨に遭わずにすんだね」工藤は申し訳なさそうに靖子を振り返った。

「そんなことないで」

「ここからは遠いの？」

「自転車で十分ぐらいかな」

「自転車？　そうだったのか」工藤は唇を噛み、雨を見上げた。

「平気。折り畳み式の傘を持ってるし、自転車は店に置いておくから。明日の朝、少し早く出ればいいだけのことだし」

「じゃあ、送っていくよ」

「あ、大丈夫よ」

しかし工藤はすでに歩道に出ていて、タクシーに向かって手を挙げていた。

「今度はゆっくり食事をしないか」タクシーが走りだして間もなく、工藤がいった。「何ならお嬢さんが一緒でもかまわない」

「あの子のことは気にしなくていいけど、工藤さんは大丈夫なの？」

「僕はいつだって大丈夫だよ。今はそんなに忙しくないんだ」

「そう」

靖子は彼の妻のことをいったのだが、問い直すのはやめておいた。彼もそれをわかっていて、勘違いしたふりを装っていると感じたからだ。

携帯電話の番号を訊かれたので、靖子は教えた。拒否する理由がなかった。

工藤はタクシーをアパートのすぐそばまで寄せてくれた。靖子のほうが奥に乗っていたので、彼も一旦車を降りた。

「濡れるから、早く乗って」外に出ると、彼女はいった。

「じゃ、また今度」

「うん」靖子は小さく頷いた。

タクシーに乗り込んだ工藤の目が、彼女の背後に向けられた。それにつられて振り向くと、階段の下で一人の男が傘をさして立っていた。暗くて顔がよくわからないが、その体型から石神だと彼女は察した。

石神はゆっくりと歩いていく。工藤が目を向けたのは、石神がじっと二人のことを見ていたからではないかと靖子は想像した。

「電話するよ」そういい残し、工藤はタクシーを出した。

遠ざかるテールランプを靖子は見送った。久しぶりに気持ちが高ぶっているのを彼女は自覚した。男性と一緒にいて心が浮き立ったことなど何年ぶりだろうと思った。

タクシーが石神を追い越していくのが見えた。

部屋に帰ると美里がテレビを見ていた。

「今日、何かあった？」靖子は尋ねた。

学校のことなどでは無論ない。それは美里もわかっているはずだった。

「何もなかった。ミカも何もいってなかったから、まだ刑事が来てないんだと思う」

「そう」

間もなく彼女の携帯電話が鳴りだした。公衆電話からのものであることを液晶画面が示していた。

「はい、あたしです」

「石神です」予想通りの低い声が聞こえてきた。「今日は何かありましたか」

「特に何もありませんでした。美里のほうも、何もなかったといっています」

「そうですか。でも油断しないでください。警察があなたに対する疑念を捨てたはずはないのです。おそらく今は、徹底的に周辺を調べているところだと思います」

「わかりました」

「そのほかに変わったことは？」

「えっ……」靖子は戸惑った。「だから、変わったことは特に何もなかったんですけど」

「あ……そうでしたね。どうもすみません。では、また明日」石神は電話を切った。

靖子は怪訝に感じながら携帯電話を置いた。石神が珍しく狼狽を示したように思えたからだった。

工藤を見たからではないか、と靖子は思った。親しげに彼女と話していた彼を、石神は一体何者なのかと訝ったのではないか。彼のことを知りたいという思いが、最後の奇妙な質問になったのではないか。

靖子は、石神がなぜ彼女たち母娘を助けてくれるのかわかっている。おそらく小代子たちがいうように、彼は靖子に気があるのだろう。

しかしもし彼女がほかの男性と親しくしたらどうだろう。それでも今までどおり、力を貸してくれるだろうか。彼女たちのために知恵を働かせてくれるだろうか。

工藤とは会わないほうがいいかもしれないと靖子は思った。たとえ会ったとしても、石神に気づかれてはならない。

だがそう思った後、不意にいいようのない焦燥感のようなものが彼女の胸に広がった。

それはいつまでのことなのだ。いつまで、石神の目を盗まねばならないのか。それとも事件が時効にならないかぎり、永久に自分は他の男性と結ばれることはないのか——。

8

きゅっきゅっとシューズの底が滑る音がした。それとほぼ同時に、小さな破裂音のようなものも聞こえる。草薙にとって懐かしい音だった。

体育館の入り口に立ち、中を覗いた。手前のコートで湯川がラケットを構えていた。太股の肉は、若い頃に比べてさすがに少し衰えたようだ。しかしフォームは変わらない。

相手のプレーヤーは学生のようだ。なかなかの腕前で、湯川のいやらしい攻撃にも振り回されない。

学生のスマッシュが決まった。湯川はその場に座り込んだ。苦笑して、何かいっている。

その目が草薙を捉えた。学生に一声かけた後、湯川はラケットを手に近づいてきた。

「今日は何の用だ」

湯川の問いに、草薙は小さくのけぞった。

「その言いぐさはないだろう。そっちが電話をかけてきたみたいだから、何の用かと思って、やってきたんじゃないか」

草薙の携帯電話に、湯川からの着信記録が残っていたのだ。

「なんだ、そうか。大した用じゃないから、メッセージは残さなかったんだ。ケータイの電源を切ってるぐらいだから、余程忙しいんだろうと気をきかせてね」

「その時間は映画を見てたんだ」

「映画？　勤務中にかい。いい御身分だな」

「そうじゃなくて、例のアリバイ確認のためだ。一応、どんな映画か見ておこうと思ってね。でなきゃ、容疑者のいってることの信憑《しんぴょう》性を確かめられないだろ」

「いずれにしても役得だな」

「仕事で見るんじゃ、楽しくも何ともないんだよ。大した用じゃないなら、わざわざ来るんじゃなかったな。研究室に電話をかけたんだけど、おまえは体育館にいるっていうしさ」

「まあせっかくだから、一緒に飯でも食おう。それに用があるのは事実だし」湯川は入り口で脱ぎ捨ててあった靴に履き替えた。

「一体何の用だ」

「その件だよ」歩き始めながら湯川はいった。「映画館の件だ」

「その件って？」

湯川は立ち止まり、草薙のほうにラケットを突き出した。

大学のそばにある居酒屋に入った。草薙が学生時代にはなかった店だ。二人は一番奥のテーブルについた。

「容疑者たちが映画に行ったといっているのが、事件発生の今月十日だ。で、容疑者の娘が十二日にそのことを同級生に話している」湯川のコップにビールを注ぎながら草薙はいった。「ついさっき、その確認をしてきた。俺が映画を見たのは、その下準備だ」

「言い訳はわかったよ。それで同級生から話を聞いた結果はどうだった」

「何ともいえないな。その子によると不自然なところはなかったらしい」

上野実香というのが、その同級生の名前だ。彼女はたしかに十二日に、花岡美里から母親と映画に行った話を聞かされたという。その映画は実香も見たので、二人で大いに盛り上がったとのことだった。

「事件の二日後というのが引っかかるな」湯川がいった。

「そうなんだ。映画を見た者同士で盛り上がりたいなら、翌日すぐに話をするのがふつうだろ。それで俺はこう考えてみた。映画を見たのは十一日じゃないか、とね」

「その可能性はあるのか」

「ない、ともいいきれない。容疑者は仕事が六時までだし、娘もバドミントンの練習を終えてすぐに帰れば、七時からの上映に間に合う。実際、そういうふうにして十日は映画館に行ったと主張しているわけだし」

「バドミントン？　娘はバドミントン部か」

「最初に訪ねていった時、ラケットが置いてあったんで、すぐにわかったんだ。そう、そのバドミントンというのも気になっている。おまえももちろん知ってるだろうけど、あれはかなり激しいスポーツだ。中学生とはいえ、クラブの練習をすればくたくたに疲れる」

「君のように要領よくさぼれば話は別だがね」おでんのコンニャクに辛子を塗りながら湯川はいった。

「話の腰を折るなよ。要するに俺がいいたいのは」

「クラブの練習でくたくたになった女子中学生が、その後で映画館に行くのはともかく、夜遅くまでカラオケボックスで歌っていたというのは不自然だ――そういいたいわけだろ」

草薙は驚いて友人の顔を見た。まさにそのとおりだった。

「でも一概に不自然とはいえないぜ。体力のある女の子だっているわけだし」

「それはまあそうだけど、痩せてて、見るからに体力がなさそうなんだよな」

「その日は練習がきつくなかったのかもしれない。それに、十日の夜にカラオケボックスに行ってたことは確認できてるんだろ」

「まあな」

「カラオケボックスに入った時刻は？」

「九時四十分」

「弁当屋の仕事は六時までだといったな。現場は篠崎だから、往復の時間を引いて、犯行に使える時間は二時間ほどか。まあ、不可能ではないか」湯川は割り箸を持ったまま腕組みした。

その様子を見ながら、容疑者の仕事が弁当屋だという話をしたかなと草薙は思った。

「なあ、どうして急に今度の事件に興味を持ったんだ。おまえから、捜査の進捗《しんちょく》状況を教えてくれというなんて珍しいじゃないか」

「興味というほどのことはない。何となく気になっただけさ。鉄壁のアリバイとかっていう話は嫌いじゃない」

「鉄壁というか、確認しにくいアリバイだから弱ってるんだ」

「その容疑者は、君たちがいうところのシロじゃないのか」

「そりゃそうかもしれんが、今のところほかに怪しい人間が浮かんでこないんだよな。それに、事件の夜にたまたま映画やカラオケに行ってたなんて、都合がよすぎると思わんか」

「君の気持ちはわかるけど、理性的な判断も必要だぜ。アリバイ以外の部分に目を向けたほうがいいんじゃないか」

「いわれなくても、地道なこともやってるよ」草薙は椅子にかけたコートのポケットから、一枚のコピー用紙を取り出し、テーブルの上で広げた。そこには男の絵が描いてある。

「何だい、これ」

「被害者が生きていた時の格好をイラストにしてみたんだよ。これを持って、何人かの刑事が篠崎駅の周辺を聞き込みしてる」

「そういえば、衣類は燃え残ってたという話だったな。紺のジャンパーにグレーのセーター、黒っぽい色のズボンか。どこにでもいそうだな」

「だろ？　こんな男を見たような気がするっていう話は、うんざりするほどあるらしい。聞き込みの連中は参ってるよ」

「すると、役に立ちそうな情報は今のところなしか」

「まあね。一つだけ、駅のそばでこれと同じ格好の怪しい男を見た、という情報はあるんだけどな。何をするでもなくぶらぶらしていたのをＯＬが目撃している。このイラストは駅に張ってあるから、それを見て通報してくれたんだ」

「協力的な人もいるものだな。そのＯＬからもう少し詳しく話を訊いたらどうだ」

「いわれなくてもそうしたさ。ところが、どうも被害者とは別人らしい」

「どうしてわかった」

「駅は駅でも篠崎じゃなくて、その一つ手前の瑞江《みずえ》駅で見たんだとさ。それに、顔も違うようだ。被害者の写真を見せたところ、もっと丸顔だったような気がするとかいってた」

「ふうん、丸顔か……」

「ま、俺たちの仕事はそういう空振りの繰り返しなんだけどさ。おまえたちみたいに、理屈が通れば認められるっていう世界とはわけが違うんだ」崩れたジャガイモを箸ですくいながら草薙はいった。だが湯川の反応は何もない。顔を上げると、彼は両手を軽く握り、宙を睨んでいた。

草薙がよく知る、この物理学者が思索にふけった時の表情だった。

湯川の目の焦点が徐々に合ってきた。その視線が草薙に向いた。

「死体は顔を潰されていたそうだな」

「そうだ。ついでに指紋も焼かれていた。身元をわからなくしたかったからだろう」

「顔を潰すのに使った道具は？」

草薙は周囲に聞き耳をたてている人間がいないことを確認してから、テーブルの上に身を乗り出した。

「発見はされてないが、おそらく犯人がハンマーか何かを用意していたんだろう。道具を使って、顔面を何度か叩いて骨を崩したんだろうとみられている。歯も顎もぐちゃぐちゃに崩れてるから、歯科医のカルテとの照合も不可能だ」

「ハンマーねえ……」湯川はおでんの大根を箸で割りながら呟いた。

「それがどうかしたのか」草薙は訊いた。

湯川は箸を置き、テーブルに両肘を載せた。

「その弁当屋の女性が犯人だとしたら、その日はどういう行動をとったと君は考えているんだ。映画館に行ったというのは嘘だと思っているんだろ」

「嘘だと決めつけてるわけじゃない」

「まあいいから、君の推理を聞かせてくれよ」そういって湯川は手招きし、もう一方の手でコップを傾けた。

草薙は顔をしかめ、唇を舐めた。

「推理というほどのものじゃないけど、俺はこう考えている。弁当屋の……面倒臭いからA子ってことにしておこう。A子が仕事を終えて店を出たのが六時過ぎだ。そこから浜町駅まで歩いて約十分。地下鉄に乗って篠崎駅までは約二十分。駅からはバスかタクシーを使い、現場の旧江戸川近くまで行ったとすれば、七時には現場に到着していたはずだ」

「その間の被害者の行動は？」

「被害者もまた現場に向かっていた。おそらくA子と会う約束を交わしていたんだ。ただし被害者は篠崎駅からは自転車を使っている」

「自転車？」

「そう。死体のそばに自転車が放置されていて、ついていた指紋が被害者のものと一致した」

「指紋？　焼かれてたんじゃなかったのか」

草薙は頷いた。

「だから死体の身元が判明してから確認できたことだ。被害者が借りていたレンタルルームから採取された指紋と一致したという意味さ。おっと、おまえのいいたいことはわかるぞ。それだけでは、レンタルルームの借り主が自転車を使ったということは証明できても、死体本人とはかぎらないというんだろ。もしかしたらレンタルルームの借り主が犯人で、そいつが自転車を使ったのかもしれないからな。ところがどっこい、ちゃんと部屋に落ちていた毛髪も確認した。死体と合致したよ。ついでにいうとＤＮＡ鑑定も行われている」

草薙の早口に湯川は苦笑を浮かべた。

「今時、警察が身元確認でミスをするとは思っちゃいないよ。それより、自転車を使ったというのは興味深いな。被害者は篠崎駅に自転車を置いていたのか」

「いや、それがさ――」

草薙は盗難自転車にまつわるエピソードを湯川に話した。

湯川は金縁眼鏡の奥の目を見開いた。

「すると被害者は現場に行くのに、わざわざ駅で自転車を盗んだというのか。バスやタクシーを使わずに」

「そういうことになる。調べたところでは、被害者は失業中で、ろくに金を持ってなかった。バス代も惜しかったんだろうな」

湯川は釈然としない顔つきで腕を組み、鼻から大きく息を吐いた。

「まあいい。とにかく、そのようにしてA子と被害者は現場で会ったわけだな。後を続けてくれ」

「待ち合わせをしていたとしても、A子はどこかに隠れていたと思う。被害者が現れるのを見て、密かに背後から近づく。手にした紐を被害者の首にかけ、思いきり絞めた」

「ストップ」湯川が片手を広げて出した。「被害者の身長は？」

「百七十センチ少々」草薙は舌打ちしたい気持ちを抑えて答えた。湯川が何をいいたいのかはわかっていた。

「A子は？」

「百六十ってところかな」

「十センチ以上の差か」湯川は頬杖をつき、にやりと笑った。「僕のいいたいことはわかっているよな」

「たしかに自分よりも背の高い人間を絞殺するのは難しい。首についた痕の角度からも、上方に引っ張り上げられるように絞められたことは明白だ。だけど、被害者が座っていたことも考えられる。自転車に跨った状態だったのかもしれない」

「なるほどね、屁理屈はつけられるわけか」

「屁理屈じゃないだろ」草薙は拳《こぶし》でテーブルを叩いた。

「それから？　服を脱がし、持参してきたハンマーで顔を潰し、ライターで指紋を焼く。服を燃やし、現場から逃走する。そういうことかい」

「錦糸町に九時に着くことは不可能じゃないだろ」

「時間的にはね。だけど、その推理にはずいぶんと無理がある。まさか捜査本部の人間全員が、君のその考えに同調しているんじゃないだろうな」

草薙は口を歪め、ビールを飲み干した。通りかかった店員におかわりを注文してから湯川のほうに顔を戻した。

「女には無理じゃないかっていう意見が多いよ」

「だろうな。いくら不意を襲ったところで、男に抵抗されたら絞殺なんてできっこない。そして男は絶対に抵抗する。その後の死体処理にしても女性には難しい。残念だが、僕も草薙刑事の意見には賛成しかねるな」

「まあ、おまえならそういうだろうと思ったよ。俺だって、この推理が当たりだと信じているわけじゃない。いろいろとある可能性のひとつだと思っているだけで」

「ほかにもアイデアがありそうな口ぶりだな。せっかくだから、けちけちしないで、別の仮説を開陳したらどうだ」

「もったいぶってるわけじゃない。今のは、死体の見つかった場所が犯行現場だと考えた場合の話だ。別の場所で殺して、あの現場に捨てたということも考えられる。捜査本部では、そっちの説をとる人間のほうが今のところは多い。A子が犯人かどうかはともかくとしてな」

「ふつうならそっちをとるだろうな。ところが草薙刑事はその説を第一には推さない。そのわけは？」

「簡単なことだ。A子が犯人ならそれはない。彼女は車を持ってないからな。それ以前に運転ができない。これでは死体を運ぶ方法がない」

「なるほど。それは無視できない点だな」

「それから現場に残された自転車のことがある。そこが犯行現場だと思わせるための偽装工作という考え方もできるが、指紋をつけておいた意味がない。死体の指紋のほうは焼いているわけだからな」

「たしかにその自転車は謎だな。あらゆる意味で」湯川はピアノを弾くようにテーブルの端で五本の指を動かした。その動きを止めてからいった。「いずれにしても男の犯行、と考えたほうがいいんじゃないかな」

「それが捜査本部の主流意見だよ。だけど、A子と切り離して考えているわけじゃない」

「A子に男の共犯者がいるというわけか」

「今、彼女の周辺を洗っているところだ。元々はホステスだからな、男関係が全くないなんてことはないはずだ」

「全国のホステスが聞いたら怒りそうな発言だな」湯川はにやにやしてビールを飲んでから真顔に戻った。「さっきのイラストを見せてくれないか」

「これか」草薙は被害者の服装のイラストを差し出した。

湯川はそれを見ながら呟いた。

「犯人は何のために死体の服を脱がせたんだろう」

「そりゃあ身元をわからなくするためだろう。顔や指紋を潰したのと同じだ」

「それなら脱がした服を持ち去ればいいじゃないか。燃やそうとなんかしたから、中途半端に燃え残って、結局こういうイラストを作られてしまった」

「あわててたんだろ」

「そもそも、財布や免許証の類ならともかく、服や靴で身元が判明するだろうか。死体の服を脱がすなんていうのはリスクが大きすぎる。犯人としては一刻も早く逃げたいはずなのにさ」

「一体何がいいたいんだ。服を脱がした理由がほかにあるというのか」

「断言はできない。だけどもしあるとすれば、それがわからないかぎり、おそらく君たちは犯人を突き止められないだろうな」そういって湯川はイラストの上に、指で大きくクエスチョンマークを書いた。

期末試験における二年三組の数学の成績は惨憺《さんたん》たるものだった。三組にかぎらず、二年生全体の出来が悪い。年々、生徒たちは頭の使い方が下手になっている、と石神は感じていた。

答案用紙を返した後、石神は追試験の予定を発表した。この学校では、すべての科目について最低ラインが決められていて、それをクリアしないことには生徒は進級できない仕組みになっている。もちろん実際には追試験が何度も行われるから、落第生が出るのは極めて稀だ。

追試験と聞いて不満の声が上がった。いつものことだから石神は無視していたが、彼に向かって言葉を発した者がいた。

「先生さあ、受験に数学のない大学だってあるんだし、そういうところを受ける者は、もう数学の成績なんてどうだっていいんじゃないの？」

声のほうを石神は見た。森岡という生徒が首の後ろを掻きながら、なあ、と周りの者に同意を求めていた。小柄だが、クラスのボス的な存在であることは、担任ではない石神も承知していた。通学にこっそりバイクを使い、何度も注意を受けている。

「森岡はそういう大学を受けるのか」石神は訊いた。

「受けるとしたらそういう大学だよ。まあ、今のところ大学に行く気はねえし、どっちにしても三年になったら数学なんて選択しないからさ、もういいじゃんよ、数学の成績なんてどうでも。先生だって大変だろ、俺たちみたいな馬鹿に付き合うのはさあ。だからここはお互いに、何ていうか、大人の対応をしようぜ」

大人の対応といったのがおかしかったらしく、皆が笑った。石神も苦笑した。

「俺が大変だと思ってくれるんなら、今度の追試で合格してくれ。範囲は微分積分だけだ。どうってことない」

森岡は大きく舌打ちした。横にはみ出させた脚を組んだ。

「微分積分なんて一体何の役に立つんだよ。時間の無駄だろうが」

期末試験の問題に関する解説を始めようと黒板に向かいかけていた石神だったが、森岡の台詞に振り返った。聞き逃せない発言だった。

「森岡はバイクが好きだそうだな。オートレースを見たことあるか」

唐突な質問に、森岡は戸惑った顔で頷いた。

「レーサーたちは一定速度でバイクを走らせるわけじゃない。地形や風向きに応じてだけでなく、戦略的な事情から、たえず速度を変えている。どこで我慢し、どこでどう加速するか、一瞬の判断が勝負を分ける。わかるか」

「わかるけど、それが数学と何の関係があるわけ？」

「この、加速する度合いというのが、その時点での速度の微分だ。さらにいえば、走行距離というのは、刻々と変化する速度を積分したものだ。レースの場合は当然、どのバイクも同じ距離を走るわけだから、勝つには速度の微分をどうするか、というのが重要な要素になってくる。どうだ、これでも微分積分は何の役にも立たないか」

石神の話した内容が理解できないのか、森岡は困惑した表情を浮かべた。

「だけどさ、レーサーはそんなこと考えてないぜ。微分とか積分とかなんて。経験と勘で勝負してるんだと思うな」

「もちろん彼等はそうだろう。だけどレーサーをバックアップしているスタッフはそうじゃない。どこでどう加速すれば勝てるか、綿密にシミュレーションを繰り返し、戦略を練り上げる。その時に微分積分を使う。本人たちに使っている意識はないかもしれないが、それを応用したコンピュータソフトを使っているのは事実だ」

「だったら、そのソフトを作る人間だけが数学を勉強すりゃいいじゃねえか」

「そうかもしれないが、森岡がそういう人間にならないともかぎらないだろ」

森岡は大きくのけぞった。

「俺がそんなもんになるわけないよ」

「森岡じゃなくても、ここにいるほかの誰かがなるかもしれない。その誰かのために数学という授業はある。いっておくが、俺が君たちに教えているのは、数学という世界のほんの入り口にすぎない。それがどこにあるかわからないんじゃ、中に入ることもできないからな。もちろん、嫌な者は中に入らなくていい。俺が試験をするのは、入り口の場所ぐらいはわかったかどうかを確認したいからだ」

途中から石神は、クラス全員を見渡していた。数学は何のために勉強するのか――毎年、誰かがその質問を発する。そのたびに彼は同じようなことを話してきた。今回は相手がバイク好きだと知っていたからレースを例に出した。昨年は、ミュージシャン志望の生徒に音響工学で使われる数学について話した。その程度のことは石神にとって何でもなかった。

授業を終えて職員室に戻ると、机の上にメモが載っていた。携帯電話の番号が記してあり、『湯川という方からTELあり』と雑な字で書いてある。同僚の数学教師の筆跡だ。

あの湯川が何の用だろう――根拠のない胸騒ぎがした。

携帯電話を手に、廊下へ出た。メモの番号にかけてみると、一回の呼出音で繋がった。

「忙しいところ、申し訳ない」いきなり湯川がいった。

「何か急用でも?」

「うん、急用といえば急用かな。今日、これから会えないか」

「これからか……まだ少しやらなきゃならないことがある。五時以降なら会えないこともないが」先程の授業が六時限目で、すでに各教室ではホームルームが行われている。石神は担任クラスを持っていないし、柔道場の鍵の管理は、ほかの教師に任せることが可能だ。

「じゃあ、五時に正門の前で待っているよ。それでどうだい」

「構わないけど……今、どこにいるんだ」

「君の学校のそばだ。じゃあ、後で」

「わかった」

電話を切った後も、石神は携帯電話を握りしめていた。わざわざ訪ねてくるほどの急用とは一体何なのか。

試験の採点などをして帰り支度を済ませると、ちょうど五時になっていた。石神は職員室を出て、グラウンドを横切るように正門に向かった。

正門の前にある横断歩道の脇に、黒いコートを羽織った湯川の姿があった。石神を見て、にこやかに手を振ってきた。

「わざわざ済まなかったな」湯川が笑顔で声をかけてきた。

「何なんだ、突然こんなところまでやってきたりして」石神も表情を和ませて訊いた。

「まあ、歩きながら話そう」

湯川が清洲橋通り沿いに歩きだした。

「いや、こっちだ」石神は脇道を指した。「この道を真っ直ぐ行ったほうが、俺のアパートには近い」

「あそこに行きたいんだよ。例の弁当屋に」湯川はさらりといった。

「弁当屋……どうして？」石神は顔が強張るのを感じた。

「どうしてって、そりゃあ弁当を買うためだよ。決まってるじゃないか。今日、ほかにも寄るところがあって、ゆっくり食事をしている暇はなさそうだから、今のうちに晩飯を確保しておこうと思ってね。おいしいんだろ、そこの弁当は。何しろ、君が毎朝買ってるぐらいなんだから」

「ああ……そうか。わかった、じゃあ、行こう」石神もそちらに足を向けた。

清洲橋に向かって、二人並んで歩きだした。脇を大きなトラックが走り抜けていく。

「先日、草薙に会ってね。ほら、前も話した、君のところに行ったという刑事だよ」

湯川の言葉に石神は緊張した。嫌な予感が一層大きくなった。

「彼が何か？」

「まあ大したことじゃないんだ。彼は仕事に行き詰まると、すぐに僕のところに愚痴をこぼしに来る。しかも、いつも厄介な問題を抱えてるから始末が悪い。以前なんか、ポルターガイストの謎を解いてくれなんていいだしてね、大いに迷惑したものだ」

湯川はそのポルターガイスト談を話し始めた。たしかに興味深い事件ではあった。しかしそんなものを聞かせたくて、わざわざ石神に会いに来たわけではないはずだった。

石神が、彼の本来の目的を訊こうと思っているうちに、『べんてん亭』の看板が見えてきた。湯川と二人で店に入っていくことに、石神は不安を覚えた。自分たちを見て、靖子がどんな反応を示すか予想できなかったからだ。こんな時間に石神が現れること自体、異例のことなのに、連れがいるとなれば、何か余計なことを深読みするかもしれない。彼女が不自然な態度をとらねばいいが、と願った。

彼のそんな思いなどお構いなしに、湯川は『べんてん亭』のガラス戸を開け、中に入っていった。仕方なく、石神も後に続いた。靖子は他の客の相手をしているところだった。

「いらっしゃいませ」靖子は湯川に向かって愛想笑いをし、次に石神のほうを見た。その途端、驚きと戸惑いの色が彼女の顔に浮かんだ。笑みが中途半端な形で固まった。

「彼が何か？」彼女の様子に気づいたらしく、湯川が訊いた。

「あ、いえ」靖子はぎこちない笑みのまま、かぶりを振った。「お隣さんなんです。いつも買いに来てくださって……」

「そうらしいですね。彼からこの店のことを聞いて、それで一度食べてみようと思ったんです」

「ありがとうございます」靖子は頭を下げた。

「彼とは大学の同窓生でしてね」湯川は石神のほうを振り返った。「つい先日も、部屋へ遊びに行ったんです」

ああ、と靖子は頷いた。

「彼からお聞きになりましたか」

「ええ、少しだけ」

「そうですか。ところで、お薦めの弁当はどれですか。彼はいつも何を買うんですか」

「石神さんは大抵おまかせ弁当ですけど、今日は売り切れてしまって……」

「それは残念だなあ。じゃあ、どれがいいかな。どれもおいしそうだなあ」

湯川が弁当を選んでいる間、石神はガラス戸越しに外の様子を窺っていた。どこかで刑事が見張っているかもしれないと思ったからだ。靖子と親しげにしているところなど、彼等に決して見られてはならない。

いやそれ以前に、と石神は湯川の横顔に目をやった。この男を信用してもいいのだろうか。警戒する必要はないのか。あの草薙という刑事と親友であるからには、今ここでの様子も、この男を通じて警察に伝わるかもしれないのだ。

その湯川はようやく弁当のメニューが決まったようだ。靖子がそれを奥に伝えている。

その時だった。ガラス戸を開けて、一人の男が入ってきた。何気なくそちらを見た石神は、思わず口元を引き締めた。

ダークブラウンのジャケットに身を包んだ男は、つい先日、アパートの前で見た人物に相違なかった。タクシーで靖子を送ってきた。二人が親しげに話しているのを、石神は傘をさして見つめていた。

男のほうは石神に気づかぬ様子だ。奥から靖子が戻ってくるのを待っている。

やがて靖子が戻ってきた。彼女は新たに入ってきた客を見て、あら、という顔をした。

男は何もいわない。笑顔で小さく頭を下げただけだ。話をするのは邪魔な客がいなくなってから、とでも考えているのかもしれない。

この男は何者だ、と石神は思った。どこから現れ、いつの間に花岡靖子と親しくなったのか。

タクシーから降りてきた時の靖子の表情を、石神は今もはっきりと覚えている。それまでに見たことのない華やいだ顔をしていた。母親でも弁当屋の店員でもない顔だった。あれこそが彼女の本当の姿ではないのか。つまりあの時彼女が見せたのは女の顔だったのだ。

俺には決して見せない顔を、彼女はこの男には見せる――。

石神は謎の男と靖子とを、交互に見つめた。二人が挟む空気が揺らいでいるように感じられた。焦りに似た感情が石神の胸に広がっていた。

湯川の注文した弁当が出来上がってきた。彼はそれを受け取って代金を支払うと、「お待たせ」と石神にいった。

『べんてん亭』を出て、清洲橋の袂から隅田川べりに降りた。そのまま川に沿って歩きだす。

「あの男性がどうかしたのかい」湯川が訊いてきた。

「えっ？」

「後から入ってきた男の人だよ。何だか君が気にしている様子だったから」

石神はぎくりとした。同時に、旧友の慧眼《けいがん》に舌を巻いた。

「そうだったかな。いや、全然知らない人だ」石神は懸命に平静を装った。

「そうか。それならいいんだ」湯川は疑った表情を見せなかった。

「ところで急用というのは何なんだ。弁当を買うのだけが目的じゃないだろう」

「そうだった。肝心のことをまだ話してなかった」湯川は顔をしかめた。「さっきも話したように、あの草薙という男は、何かというと僕のところに面倒な相談事を持ち込んでくる。今度も、弁当屋の女性の隣に君が住んでいると知って、早速やってきた。しかも、じつに不愉快なことを頼んできた」

「というと？」

「警察では、依然として彼女を疑っているらしい。ところが、犯行を立証するものは何ひとつ見つけられないでいる。そこで、彼女の生活を何とか逐一監視したいと考えている。でも、見張るといったって限界がある。で、目をつけたのが君のことだ」

「まさか俺にその監視役をやれとでも？」

湯川は頭を掻いた。

「その、まさか、だよ。監視といっても四六時中見張ってるわけじゃない。ただ、隣の部屋の様子に少し気をつけて、何か変わったことがあれば連絡してほしい、ということだ。要するにスパイをしろってことだ。全くもう図々しいというか、失礼なことをいう連中だ」

「湯川は、それを俺に依頼しに来たというわけか」

「もちろん、正式な依頼は警察からくるだろう。その前に打診してくれと頼まれたんだ。僕としては君が断っても構わないと思うし、断ったほうがいいとさえ思っているんだけど、これもまあ浮き世の義理というやつでね」

湯川は心底弱っているように見えた。しかし警察が民間人にそんなことを頼むだろうか、とも石神は思った。

「わざわざ『べんてん亭』に寄ったのも、それと関係があるのか」

「正直いうとそうなんだ。その容疑者の女性というのを、一度この目で見ておきたくてね。だけど、彼女に人を殺せるとは思えないな」

自分もそう思う、といいかけて、石神はその言葉を呑み込んだ。

「さあね、人は見かけによらないからな」逆に、そう答えた。

「たしかにね。それで、どうだい。警察からそういう依頼が来た場合、承諾できるかい？」

石神は首を振った。

「正直なところ、断りたいな。他人の生活をスパイするなんて趣味に合わないし、そもそも時間がない。こう見えても忙しいんでね」

「だろうな。じゃあ、僕のほうから草薙にそういっておこう。この話はここまでだ。気を悪くしたなら謝る」

「別にそんなことはないさ」

新大橋が近づいてきた。ホームレスたちの仮住まいも見える。

「事件が起きたのは三月十日、とかいってたな」湯川がいった。「草薙の話では、その日、君はわりと早くに帰宅したそうだね」

「特に寄るところもなかったからな。七時頃には帰った、と刑事さんには答えたんじゃなかったかな」

「その後は例によって、部屋で数学の超難問と格闘かい？」

「まあ、そんなところだ」

答えながら石神は、この男は俺のアリバイを確認しているんだろうか、と考えた。もしそうだとしたら、何らかの疑いを石神に対して抱いていることになる。

「そういえば、君の趣味について聞いたことがなかったな。数学以外に何かあるのかい」

石神はふっと笑った。

「趣味らしい趣味はない。数学だけが取り柄だ」

「気分転換はしないのか。ドライブとか」湯川は片手でハンドルを操る格好をした。

「したくともできない。車がないからな」

「でも免許は持っているんだな」

「意外か」

「そんなことはない。忙しくても、教習所に通う時間ぐらいはあるだろうからな」

「大学に残ることを断念した後、大急ぎで取りに行った。就職に役立つかもしれないと思ってね。実際には、何の関係もなかったが」そういった後、石神は湯川の横顔を見た。「俺が車を運転できるかどうかを確認したかったのか」

湯川は心外そうに瞬きした。「いや。どうして？」

「そんな気がしたからだ」

「別に深い意味はない。君でもドライブぐらいはするのかなと思っただけだ。それに、たまには数学以外の話をしたいと思ってね」

「数学と殺人事件以外の話、だろ」

皮肉のつもりだったが、ははは と湯川は笑った。「うん、そのとおりだ」

新大橋の下にさしかかった。白髪頭の男が鍋をコンロに載せ、何かを煮ていた。男の脇には一升瓶が置かれていた。ほかにも何人か、ホームレスが外に出ている。

「じゃあ、僕はこれで失礼する。不愉快なことを聞かせて申し訳なかった」新大橋の横の階段を上がったところで湯川はいった。

「草薙刑事に謝っておいてくれ。協力できなくてすまないと」

「謝る必要なんてない。それより、また会いに来てもいいかな」

「そりゃあ構わないが……」

「酒を飲みながら、数学の話をしよう」

「数学と殺人事件の話、じゃないのか」

湯川は肩をすくめ、鼻の上に皺を作った。

「そうなるかもな。ところで、数学の新しい問題をひとつ思いついた。暇な時に考えてくれないか」

「どういうのだ」

「人に解けない問題を作るのと、その問題を解くのとでは、どちらが難しいか。ただし、解答は必ず存在する。どうだ、面白いと思わないか」

「興味深い問題だ」石神は湯川の顔を見つめた。「考えておこう」

湯川はひとつ頷き、踵を返した。そのまま通りに向かって歩きだした。

9

手長エビを食べ終えた時、ちょうどワインのボトルが空になった。靖子は自分のグラスに残ったワインを飲み干し、小さな吐息をついた。本格的なイタリアンを食べるのはいつ以来だろうと思った。

「もう少し何か飲むかい」工藤が尋ねてきた。彼の目の下は、かすかに赤くなっていた。

「あたしはもう結構。工藤さん、何か頼めば」

「いや、僕も遠慮しておく。デザートを楽しむことにするよ」彼は目を細め、ナプキンで口元をぬぐった。

ホステスをしていた頃、靖子は工藤と何度か食事をした。フレンチでもイタリアンでも、彼が一本のワインだけで終わることなどなかった。

「お酒、あまり飲まなくなったの？」

彼女の問いに、工藤は何か考える表情をしてから頷いた。

「そうだな、以前よりは少なくなったね。歳のせいかな」

「そのほうがいいかもね。身体は大事にしなきゃ」

「ありがとう」工藤は笑った。

今夜の食事は、昼間に誘われた。靖子の携帯電話に工藤がかけてきたのだ。迷いながらも、彼女は承諾した。迷ったのは、無論、事件のことが気にかかっているからだ。こんな大事な時に、浮かれて食事になど行っている場合ではない、という自制心が働いた。警察の捜査に、靖子以上に怯えているに違いない娘に対し、申し訳ないという気持ちもあった。さらには、事件隠蔽に無条件で協力してくれている石神のことも気になった。

だが、こんな時だからこそ、ふつうに振る舞うことが大切ではないか、と靖子は思った。ホステス時代に世話になった男性から食事を誘われれば、何か特別な理由がないかぎりは、断らないのが「ふつう」ではないかと考えた。もし断ったりしたら、そちらのほうが不自然で、そのことが小代子たちの耳に入れば、かえって怪しまれることになる。

しかしそんな理屈も、じつは無理やりにこじつけたものにすぎないことに、彼女自身が気づいていた。食事の誘いに乗った最大にして唯一の理由は、工藤と会いたかった——ただそれだけだ。といっても工藤に対して恋愛感情を持っているかどうか、自分でもよくわからなかった。先日再会するまで、殆ど思い出すこともなかったのだ。好意は持っているが、まだその段階にすぎない、というのがおそらく本当のところだろう。

だが食事の誘いを受けた直後から、華やいだ気分になったのは紛れもない事実だった。あの浮き浮きとした気分は、恋人とデートの約束をした時のものに限りなく近かった。体温がほんの少し上昇したような気さえした。浮き立った勢いで、小代子に頼んで仕事を抜けさせてもらい、家へ着替えに帰ったくらいだった。

もしかしたらそれは、現在自分が置かれている息の詰まるような状態から、たとえ一時でも抜け出し、辛いことを忘れたいという欲求があったせいかもしれない。あるいは、長い間封印してきた、女性として扱われたいという本能が目を覚ましたからかもしれない。

いずれにせよ靖子は、食事に来たことを後悔していなかった。短い時間だったし、後ろめたさは常に頭の隅にこびりついていたが、久しぶりに楽しい気分を味わえた。

「今夜、お嬢さんの食事はどうしたの？」コーヒーカップを手に、工藤が訊いてきた。

「店屋物をとってちょうだいって留守電に入れておいたの。たぶんピザにすると思う。あの子、ピザが好きだから」

「ふうん。なんだかかわいそうだな。こっちは御馳走を食べてるっていうのに」

「でも、こういうところで食べるより、テレビを見ながらピザを食べてるほうがいいっていうと思う。気の張る場所って嫌いだから」

工藤は顔をしかめて頷き、鼻の横を掻いた。

「そうかもしれないな。おまけに知らないおじさんと一緒じゃ、ゆっくりと味わうこともできないしな。今度は少し考えよう。回転寿司か何かのほうがいいかもしれない」

「ありがとう。でも気を遣わないで」

「気を遣ってるわけじゃない。僕が会いたいんだ。君の娘さんにさ」そういうと工藤はコーヒーを飲みながら、上目遣いに彼女を見た。

食事に誘ってきた時、お嬢さんも是非一緒に、と彼はいってくれたのだった。本心からの言葉であるように靖子には感じられた。誠意を示してくれているようで嬉しかった。

とはいえ、美里を連れてくるわけにはいかなかった。こういう場を彼女が好きでないというのは事実だ。だがそれ以上に、今の美里には必要以上に他人と接触させたくなかった。万一話題が事件に関することに及んだ場合、平静を保っていられるかどうかがわからない。それにもう一つ、工藤の前では女性に戻っているかもしれない自分の姿を、娘に見せたくなかった。

「工藤さんのほうこそどうなの？　御家族と一緒に食事をしなくても平気なの？」

「僕のほうか」工藤はコーヒーカップを置き、テーブルに両肘をついた。「そのことを話しておきたくて、今日、食事に誘ったようなものなんだ」

靖子は首を傾げ、彼の顔を見つめた。

「じつはね、今、独り身なんだ」

えっ、と靖子は声を漏らした。目を見張っていた。

「女房がガンにかかってね。膵臓ガンだ。手術をしたんだけど、手遅れだった。それで、去年の夏、息を引き取った。若かったから、進行が早かった。あっという間だったよ」

淡々とした口調だった。そのせいか、話の内容が実感を伴っては靖子の耳に伝わってこなかった。彼女は数秒間、ぼんやりと彼の顔を見ていた。

「それ、本当？」ようやくそれだけいった。

「冗談では、こんなことはいえない」彼は笑った。

「そうだろうけど、何といえばいいのか」彼女は俯き、唇を舐めてから顔を上げた。「それはあの……御愁傷様でした。大変だったでしょう？」

「いろいろとね。でも今もいったように、本当にあっという間だったんだ。腰が痛いとかいって病院に行ったかと思うと、突然医者から呼ばれて病気のことを知らされて。入院、手術、看病――まるでベルトコンベアに載せられているみたいだった。無我夢中で時間が過ぎて、そうして逝ってしまった。本人が病名を知っていたかどうかは、今となっては永遠に謎だ」そういって工藤はグラスの水を飲んだ。

「病気のこと、いつわかったの？」

工藤は首を傾げた。「一昨年の暮れ……かな」

「じゃあ、まだあたしが『まりあん』にいた頃じゃない。工藤さん、お店に来てくれてたよね」

工藤は苦笑し、肩を揺すった。

「不謹慎な話だよな。女房が生きるか死ぬかって時に、亭主が飲みに行ってちゃあいけないよな」

靖子は身を固くしていた。いうべき言葉が思いつかなかった。店で見せていた、工藤の明るい笑顔が蘇っていた。

「まあ、言い訳をさせてもらえるなら、そういうわけでいろいろと疲れてたものだからさ、少し癒《いや》されようと思って、靖子ちゃんの顔を見に行っていたということなんだ」彼は頭を掻き、鼻の上に皺を寄せた。

靖子は依然として声が出なかった。彼女は自分が店を辞めた時のことを回想していた。今日で最後という日、工藤は花束を持ってきてくれた。

がんばって幸せになれよ――。

どんな気持ちで彼はあんな言葉をかけてきたのだろうか。自分のほうがもっと大きな苦労を背負っているというのに、そのことをおくびにも出さず、靖子の再スタートを祝ってくれた。

「湿っぽい話になっちゃったな」工藤は照れを隠すように煙草を出してきた。「要するに、そういう事情だから、もう僕の家庭についてあれこれ心配することはないといいたかったわけだ」

「あ、でも息子さんは？　今度、受験なんでしょ」

「息子は実家で面倒をみてもらっている。そっちのほうが高校には近いし、僕じゃあ、あいつのために夜食を作ってやることもできないからね。お袋は孫の世話を焼けてうれしそうだ」

「じゃあ、本当に今は一人で生活してるの？」

「生活といったって、家にはただ帰って寝るだけだけどね」

「この前はそんなこと、全然いわなかったじゃない」

「いう必要もないと思ったんだ。君のことが心配で、会いに行ったわけだからね。でもこういうふうに食事に誘った場合、君は僕の家庭のことを気にするだろ。だから、いっておいたほうがいいと思ってね」

「そうだったの……」靖子は目を伏せた。

工藤の本心はわかっていた。彼は暗に、正式に付き合ってほしいと伝えてきているのだ。それも将来を見据えた交際にしたいと考えているのかもしれない。美里に会いたいといった理由も、そのあたりにあるように思えた。

レストランを出ると、工藤は前と同様にアパートまでタクシーで送ってくれた。

「今日はどうもごちそうさまでした」車から降りる前に靖子は頭を下げていった。

「また、誘っていいかな」

靖子は少し間を置いてから、「ええ」と微笑んだ。

「じゃあ、おやすみ。お嬢さんによろしく」

「おやすみなさい」答えながら、今夜のことは美里には話しにくいと思った。小代子たちと食事に行くから、と留守電には入れておいたのだ。

工藤の乗ったタクシーを見送った後、靖子は部屋に戻った。美里は炬燵に入ってテレビを見ていた。やはりテーブルの上にはピザの空箱が載っていた。

「お帰りなさい」美里が靖子を見上げていった。

「ただいま。ごめんね、今日は」

靖子は何となく娘の顔をまともに見られなかった。男性と食事をしてきたということで、負い目のようなものを感じていた。

「電話、かかってきた？」美里が訊いてきた。

「電話？」

「隣の……石神さんから」美里は小声になった。いつもの定時連絡のことをいっているらしい。

「ケータイの電源、切ってたから」

「ふうん……」美里は浮かない顔だ。

「どうかしたの？」

「ううん、そうじゃないけど」美里はちらりと壁の時計に目をやった。「石神さん、何度も部屋を出たり入ったりしてるよ。窓から見てると、通りのほうに行ってるみたいだけど、おかあさんに電話をかけに行ってるんじゃないかと思って」

「ああ……」

そうかもしれない、と靖子は思った。じつは工藤と食事をしている間も、石神のことは気になっていたのだ。電話のこともあるが、それ以上に、『べんてん亭』で石神が工藤と鉢合わせしてしまったことが気がかりだった。もっとも工藤のほうは、石神を単なる客だとしか見ていなかったようだ。

よりによって、なぜ今日にかぎって石神があんな時間に店に来たのか。友人だという人物が一緒だったが、今までには一度もなかったことだ。

石神は工藤のことを覚えていたに違いない。先日、靖子をタクシーで送ってきた男が、またしても『べんてん亭』に現れたことに、特別な意味を感じているかもしれない。そう思うと、間もなくかかってくるに違いない石神からの電話に出るのが憂鬱だった。

そんなことを考えながらコートをハンガーにかけていると、玄関のドアホンが鳴った。靖子はぎくりとして美里と顔を見合わせた。一瞬、石神がやってきたのかと思った。しかし彼がそんなことをするはずがなかった。

はい、と彼女はドアに向かって答えた。

「夜分申し訳ありません。ちょっとよろしいですか」男の声だった。聞き慣れない声だ。

靖子はドアチェーンをつけたままドアを開けた。外には一人の男が立っていた。見覚えがあった。彼は上着から警察手帳を出してきた。

「警視庁の岸谷です。以前、草薙と一緒にお邪魔しましたが」

「ああ……」靖子は思い出した。今日は草薙はいないようだ。

彼女は一旦ドアを閉め、美里に目配せした。美里は炬燵から出ると、黙って奥の部屋へ行った。

襖が閉じられるのを見届けてから、靖子はチェーンを外し、再びドアを開けた。

「何でしょうか」

靖子が訊くと岸谷は頭を下げた。

「すみません、また映画の件なんですが……」

靖子は思わず眉をひそめていた。石神から、映画館へ行ったことについては警察にしつこく訊かれることになる、といわれていたのだが、まさにそのとおりだと思った。

「どういったことでしょうか。もう、あれ以上はお話しすることはないんですけど」

「お話はよくわかりました。今日は例の半券をお借りしたいと思いまして」

「半券？　映画館のチケットですか」

「そうです。前に見せていただいた時、草薙のほうから、大切に保管しておいてくださいとお願いしたと思うんですが」

「ちょっと待ってください」

靖子は戸棚の引き出しを開けた。前に刑事たちに見せた時には、パンフレットの間に挟んであったのだが、その後引き出しに移したのだ。

美里の分と合わせて二枚の半券を、彼女は刑事に差し出した。ありがとうございます、といって岸谷は受け取った。彼は白い手袋をはめていた。

「やっぱり、あたしが一番疑われているんですか」靖子は思い切って訊いてみた。

とんでもない、と岸谷は顔の前で手を振った。

「容疑者を絞れなくて困っている状態です。だから怪しくない人はどんどん消去していこうとしているんです。半券をお借りするのもそれが目的です」

「半券で何かわかるんですか」

「それは何とも断言できませんが、参考にはなるかもしれません。あなた方があの日に映画館に行った、ということを証明できれば一番いいんですが……あれから何か思い出されたことはありますか」

「いいえ、前に話した以上のことは何も」

「そうですか」岸谷は室内に目をやった。

「いつまでも寒いですね。おたくでは、毎年電気炬燵を使用されてるんですか」

「炬燵ですか。ええまあ……」靖子は後ろを振り返り、動揺を刑事に悟られまいとした。彼が炬燵を話題にしたことが偶然だとは思えなかった。

「この炬燵は、いつ頃から使っておられるんですか」

「さあ……もう、四、五年になると思います。それがどうしたんですか」

「いえ、別に」岸谷は首を振った。「ところで、今日は仕事の後、どこかに行っておられたのですか。お帰りが遅かったようですが」

不意をつかれ、靖子はたじろいだ。同時に、刑事たちがアパートの前で待っていたらしいと察知した。ということは、タクシーを降りるところも見られているかもしれない。

下手な嘘はつけない、と思った。

「知り合いの方と食事に行っていたんです」

極力余分なことはしゃべらないでおこうと思ったのだが、刑事はこんな答えでは納得しなかった。

「タクシーであなたを送ってきた男性ですね。どういったお知り合いですか。差し支えなければ教えていただきたいのですが」岸谷は申し訳なさそうな顔でいった。

「そんなことまで話さなきゃいけないんですか」

「だから、差し支えがなければ、です。失礼なのはわかっているんですが、質問しないで帰ると、後で上司に文句をいわれるものですから。相手の方には決して迷惑をかけません。だから、ちょっと教えていただけませんか」

靖子は大きくため息をついた。

「工藤さんという方です。以前、あたしが働いていたお店によく来てくださったお客さんで、今度の事件であたしがショックを受けているんじゃないかと心配して、様子を見に来られたんです」

「何をしている方ですか」

「印刷会社を経営していると聞いていますけど、詳しいことは知りません」

「連絡先はわかりますか」

岸谷の質問に、靖子はまた眉をひそめた。それを見て刑事はぺこぺこと頭を下げた。

「余程のことがないかぎり、その方に連絡を取るようなことはいたしませんし、もしその必要が生じた場合でも、失礼のないように配慮いたしますので」

靖子は不快感を隠そうとはせず、無言で自分の携帯電話を手に取ると、工藤から教わった番号を早口でしゃべった。刑事はあわててそれをメモした。

その後も岸谷は恐縮している様子を見せながらも、工藤のことを根掘り葉掘り尋ねてきた。結局靖子は、工藤が最初に『べんてん亭』に現れた日のことも話す羽目になった。

岸谷が帰ると、靖子はドアの鍵をかけた後、そのまま座り込んだ。ひどく神経を使ったような感覚があった。

襖が開く音がした。美里が奥の部屋から出てきた。

「映画のこと、まだ何か疑ってるみたいだね」彼女はいった。「何もかも、石神さんの予想したとおりになってる。あの先生、すごいよ」

「そうね」靖子は立ち上がり、前髪をかきあげながら部屋に上がった。

「おかあさん、『べんてん亭』の人たちと御飯を食べに行ったんじゃなかったの？」

美里にいわれ、はっとして靖子は顔を上げた。娘の咎《とが》めるような顔があった。

「聞こえた？」

「当たり前じゃん」

「そう……」靖子は俯いたまま炬燵に両膝を入れた。刑事が炬燵のことをいっていたのを思い出した。

「どうしてこんな時に、そんな人と御飯食べに行ったりするの」

「断れなかったのよ。昔、すごくお世話になった人だから。それに、あたしたちのことを心配して、様子を見に来てくださったの。美里に黙ってたのは悪かったけど」

「あたしのことは別にいいけどさ……」

その時、隣の部屋のドアが開閉する音が聞こえた。続いて足音が、階段の方へ向かっていった。

靖子は娘と顔を見合わせていた。

「ケータイの電源」美里がいった。

「入ってる」靖子は答えた。

それから数分後、彼女の携帯電話が鳴りだした。


石神はいつもの公衆電話を使っていた。今夜、ここから電話をかけるのは三回目だった。これまでの二回は、いずれも靖子の携帯電話に繋がらなかったのだ。今までそういうことは一度もなかったので、何かアクシデントでも起きたのかと心配したが、靖子の声を聞くかぎりでは、そういうことはなさそうだ。

遅くになってから花岡母娘の部屋のドアホンが鳴るのを石神は聞いたのだが、やはり刑事だったようだ。靖子によれば、映画館の半券を貸してくれといわれたらしい。彼等の目的が、石神にはわかっていた。おそらく、映画館で保管されている、もう一方の半券と照合する気なのだ。彼女が渡したものと切り口の合致する半券が見つかれば、それに付いている指紋を調べるに違いない。そこに靖子たちの指紋がついていれば、映画を見たかどうかはともかく、映画館に入ったことだけは証明される。だがもし指紋がなければ、彼女たちへの疑惑は一層高まることになる。

さらに靖子の話では、刑事は炬燵のことをあれこれと尋ねたらしい。それもまた、石神としては予想できたことだった。

「おそらく凶器が特定されたんでしょう」石神は電話口にいった。

「凶器というと……」

「電気炬燵のコードです。あなた方はあれを使ったわけでしょう？」

電話の向こうで靖子は無言になった。富樫を絞殺した時のことを思い出したのかもしれない。

「絞殺すれば、凶器の痕がまず間違いなく首に残ります」石神は説明を続けた。婉曲《えんきょく》な表現を選んでいる場合ではなかった。「科学捜査は進んでいますから、どんなものが凶器として使用されたか、その痕からほぼ特定できるのです」

「それであの刑事さんは炬燵のことを……」

「そうだと思います。でも心配することはない。それについてはすでに手は打ってあるわけですから」

警察が凶器を特定することは予想していた。だから石神は、花岡家の電気炬燵を、自分の部屋のものと交換したのだ。彼女たちの電気炬燵は、現在は彼の部屋の押入にしまい込まれていた。しかも都合のいいことに、元々彼が持っていた電気炬燵のコードは、彼女たちのものとはタイプが違うのだ。刑事が電気コードに注目していたなら、すぐにそのことに気づいたはずだった。

「ほかには刑事からどんなことを訊かれましたか」

「ほかは……」そういったきり、彼女は黙り込んだ。

「もしもし、花岡さん」

「あ、はい」

「どうかしたんですか」

「いえ、何でもないです。どんなことを刑事さんから質問されたか、思い出そうとしていたんです。ほかには特に何もありませんでした。映画館に行っていたことを証明できれば疑いは晴れる、という意味のことをいわれただけです」

「彼等は映画館にこだわるでしょう。そうなるように計算してプランを立てたのだから当然のことです。何も怖がることはありません」

「石神さんにそういっていただけると安心です」

靖子の言葉に、石神は胸の奥に明かりが灯ったような感覚を抱いた。四六時中続いている緊張が、一瞬だけ緩んだように思った。

そのせいか、あの人物のことを尋ねてみようか、と彼はふと思った。あの人物というのは、湯川と『べんてん亭』に行った時に、途中で入ってきた男性客だ。今夜も彼女があの男にタクシーで送ってもらったのを石神は知っていた。部屋の窓から見えたのだ。

「あたしから報告できることはそれだけですけど、石神さんのほうからは何かありますか」靖子から訊いてきた。彼が何もいわないからだろう。

「いや、特にありません。今までどおり、ふつうに生活してください。しばらくは刑事があれこれいってくるでしょうが、大事なことはうろたえないことです」

「ええ、わかっています」

「じゃあ、娘さんにもよろしく。おやすみなさい」

おやすみなさい、と靖子がいうのを聞き、石神は受話器を置いた。テレホンカードが公衆電話から吐き出された。


草薙の報告を聞き、間宮は露骨に失望の色を示した。自分の肩を揉みながら、椅子の上で身体を前後に揺すった。

「するとその工藤という男が花岡靖子と再会したのは、やっぱり事件の後っていうことか。それに間違いはないわけか」

「弁当屋の経営者夫妻の話を聞くと、そういうことのようです。彼等が嘘をついているとは思えません。工藤が初めて店に来た時、靖子も自分たちと同じように驚いていたといっています。もちろん、演技ということも考えられますが」

「何しろ、元ホステスだからな。演技はお手のものだろう」間宮は草薙を見上げた。「とりあえず、その工藤という男のことをもう少し調べてみよう。事件の後、急に現れたというのもタイミングがよすぎる」

「でも花岡靖子によれば、事件を知ったからこそ、工藤は彼女に会いにきたようなんです。だから、特に偶然というわけでもないと思うのですが」草薙の隣にいた岸谷が、遠慮がちに口を挟んできた。「それに、もし二人が共犯関係にあるなら、この状況下で、会ったり食事をしたりするでしょうか」

「大胆なカムフラージュということも考えられるぜ」

草薙の意見に、岸谷は眉根を寄せた。「それはそうですが……」

「工藤本人に当たってみますか」草薙は間宮に訊いた。

「そうだな。事件に関与していれば、何かぼろを出すかもしれんな。当たってみてくれ」

わかりましたと答え、草薙は岸谷と共に間宮の前を離れた。

「おまえさ、思い込みで意見をいっちゃだめだぜ。犯人たちはそれを利用しようとしているのかもしれないんだからな」草薙は後輩刑事にいった。

「どういうことですか」

「工藤と花岡靖子は以前から深い仲だったけど、それを隠し続けていた、ということもありうるだろ。富樫殺しでは、それを利用したのかもしれない。関係を誰にも知られていない人間となれば、共犯者にはうってつけだからな」

「もしそうなら、今もまだ関係を隠し続けるんじゃないでしょうか」

「そうとはかぎらない。男女の関係なんて、いずれはばれるものだからな、どうせならこの機会に再会したふりをしたほうがいい、と考えたのかもしれない」

岸谷は釈然としない顔つきのままで頷いた。

江戸川署を出ると、草薙は岸谷と共に自分の車に乗り込んだ。

「鑑識の話だと、凶器に使われたのは電気コードである可能性が高いということでしたよね。正式名称は袋打ちコード」シートベルトを締めながら岸谷がいった。

「ああ、電熱器具によく使用されているんだろ。電気炬燵とか」

「コードの表面に綿糸が編み込んであって、その布目が絞殺痕に残っていたそうです」

「それで?」

「花岡さんの部屋の炬燵を見ましたが、袋打ちコードじゃなかったです。丸打ちコードといって、表面はゴムのものでした」

「ふうん。だから?」

「いえ、それだけのことです」

「電熱器具なんて、炬燵以外にもいろいろとあるだろ。それに凶器に使われたのが、ふだん身の回りにあるものだとはかぎらない。そのへんに落ちていた電気コードを拾ったのかもしれないしな」

「はあ……」岸谷は浮かない声を出した。

草薙は昨日岸谷と共に、ずっと花岡靖子を見張っていたのだった。主な目的は、彼女の共犯者となりうる人間がいるかどうかを確かめることだった。

だから彼女が閉店後に一人の男とタクシーに乗った時には、ある予感を持って尾行を開始した。汐留のレストランに二人が入るのを確かめた後も、辛抱強く出てくるのを待った。

食事を終えた二人は、再びタクシーに乗った。着いたところは靖子のアパートだった。男が降りる気配はなかった。草薙は靖子に対する聞き込みは岸谷に任せ、タクシーを追った。尾行が気づかれている気配はなかった。

男は大崎のマンションに住んでいた。工藤邦明という姓名までは確認している。

実際のところ、今度の犯行は女一人の手では無理だろう、と草薙は考えていた。もし花岡靖子が事件に関与しているなら、やはり男の協力者——もしかするとそちらが主犯と表現すべきかもしれないが、そういう人物がいるとしか思えなかった。

工藤こそが共犯者なのか。しかしあんなふうに岸谷を叱っておきながら、草薙自身がその考えに手応えを感じていなかった。まるで見当違いな方向に走っている感覚があった。

草薙の頭には、全く別のことが引っかかっていた。昨日、『べんてん亭』のそばで張り込んでいた時に見た、思いもよらない人物のことだ。

湯川学が、花岡靖子の隣に住む数学教師と現れたのだった。

10

午後六時を少し過ぎた頃、マンションの地下駐車場に緑色のベンツが入っていった。それが工藤邦明の車であることは、昼間、彼の会社に行った時に確認してあった。マンションの向かい側にある喫茶店から見張っていた草薙は、二杯分のコーヒー代を用意しながら席を立った。二杯目のコーヒーは、一口啜っただけだった。

道路を走って横切り、地下駐車場に駆け込んでいった。マンションには一階と地階に入り口がある。どちらもオートロックシステムになっていて、駐車場利用者は、まず間違いなく地階の入り口を利用する。草薙は、できれば工藤が建物に入る前に捕まえたかった。インターホンで名乗ってから部屋に向かうのでは、相手にいろいろと考える時間を与えてしまうからだ。

幸い、草薙のほうが先に入り口に到着していたようだ。彼が壁に手をついて息を整えていると、スーツ姿の工藤が書類鞄を抱えて現れた。

工藤がキーを取り出して、オートロックの鍵穴に差し込もうとする時、草薙は背後から声をかけた。「工藤さんですね」

工藤はぎくりとしたように背筋を伸ばし、差し込みかけていたキーを引いた。振り返り、草薙を見た。顔に不審の色が広がっていた。

「そうですけど……」彼の視線が、素早く草薙の全身を舐めた。

草薙は上着の下から、ほんの少しだけ警察手帳を覗かせた。

「突然申し訳ありません。警察の者なんです。少し御協力いただけないでしょうか」

「警察って……刑事さんですか」工藤は声を落とし、窺うような目をした。

草薙は頷いた。

「そうです。花岡靖子さんのことで、ちょっとお話を伺えればと思いまして」

靖子の名前を聞いて工藤がどういう反応を示すか、草薙は注視した。驚いたり、意外そうな顔を見せたりしたら、逆に怪しい。工藤は事件のことを知っているはずだからだ。

だが工藤は顔をしかめた後、何かを合点したように顎を引いた。

「わかりました。じゃあ、私の部屋に来られますか。それとも、喫茶店かどこかのほうがいいでしょうか」

「いや、できればお部屋で」

「いいですよ。散らかっていますが」そういって工藤は、改めてキーを鍵穴に入れた。

散らかっているといったが、工藤の部屋はむしろ殺風景だった。クローゼットが揃っているからか、余分な家具が殆どない。ソファも二人掛けと一人掛けが一つずつあるだけだ。草薙は二人掛けのほうに座るよう勧められた。

「お茶か何か」工藤はスーツも脱がずに訊いてきた。

「いえ、お構いなく。すぐに終わりますから」

「そうですか」そういいながらも工藤はキッチンに入ると、グラスを二つと、ウーロン茶のペットボトルを両手に持って戻ってきた。

「失礼ですが、御家族は？」草薙は訊いた。

「妻は昨年亡くなりました。息子が一人いますが、事情があって、私の実家で面倒を見てもらっています」工藤は淡々とした口調で答えた。

「そうでしたか。じゃあ、今はおひとりで生活を？」

「そういうことになります」工藤は頰を緩め、二つのグラスにウーロン茶を注いだ。ひとつを草薙の前に置いた。「富樫さんのこと……ですか」

草薙はグラスに伸ばしかけていた手を引っ込めた。相手から切り出してくれたのなら、無駄な時間をかける必要はない。

「そうです。花岡靖子さんの元の旦那さんが殺された事件についてです」

「彼女は無関係ですよ」

「そうですか」

「だって、別れた相手ですよ。今は何の繋がりもない。殺す理由がないじゃないですか」

「まあ、我々としても、基本的にはそのように考えているわけですが」

「どういうことですか」

「世の中にはいろいろな夫婦がいますから、そういった形式論では片づかないことも多いということです。別れたから明日からは無関係。お互いに干渉し合わない。赤の他人に戻る。それで済めばストーカーなんてものは存在しないわけです。ところが現実はそうじゃない。一方が切りたくても、もう一方がなかなか切れてくれないということは、ざらにあるんです。たとえ離婚届を出した後でもね」

「彼女は、富樫さんとはずっと会っていないといってましたよ」工藤の目に敵意がこもり始めていた。

「事件について、花岡さんと話をされたんですか」

「しました。だって、そのことが気になって会いに行ったんですから」

花岡靖子の供述と一致するようだ、と草薙は思った。

「つまり、花岡さんのことを相当気にかけておられた、ということでしょうか。事件が起きる前から」

草薙の言葉に、工藤は不快そうに眉間に皺を作った。

「気にかけていた、という意味がよくわかりませんね。私のところに来られたぐらいだから、私と彼女の関係については御存じなわけでしょう？　かつて彼女が働いていた店の常連だったんですよ私は。彼女の御主人とも、偶然にですが、会ったことがあります。富樫という名前もその時に聞きました。だからああいう事件が起きて、富樫さんの顔写真まで出ていたから、心配になって様子を見に行ったというわけです」

「常連さんだったということは聞きました。でもそれだけで、そこまでしますかね。工藤さんは社長さんでしょう？　いろいろとお忙しいんじゃないんですか」草薙は、わざと皮肉を込めた言い方をした。職業柄、こうした口調を使うことがよくある。しかし元来彼は、こんな話し方は好きではなかった。

草薙のテクニックは効果を示したようだ。工藤は明らかに色をなした。

「あなたは花岡靖子さんのことを訊きに来られたのじゃなかったのですか。でも私に関する質問ばかりしておられる。私を疑っているのですか」

草薙は笑みを浮かべ、顔の前で手を振った。

「そういうわけじゃありません。気分を害されたのなら謝ります。ただ、現在花岡さんが特別親しくしておられるようだから、工藤さんについてもいくつかお尋ねしたかっただけです」

草薙は穏やかに話したが、工藤が彼を睨む目は緩まなかった。大きく深呼吸すると、ひとつ頷いた。

「わかりました。いろいろと腹を探られるのは不愉快ですから、はっきりと申し上げておきましょう。私は彼女に気があるわけです。それは恋愛感情です。だから事件のことを知り、彼女に近づくチャンスだと思って会いに行った。いかがですか。このようにいえば納得していただけますか」

草薙は苦笑した。それは演技でもテクニックでもなかった。

「まあ、そうむきにならないでください」

「だって、そういうことを聞きたいわけでしょう？」

「我々としては、花岡靖子さんの人間関係を整理したいだけなんです」

「それがよくわからない。どうして警察が彼女を疑うのか……」工藤は首を捻ってみせた。

「殺される直前、富樫さんは彼女を探していたんですよ。つまり、最後に彼女に会っていた可能性もあるわけです」このことは工藤に話してもいいだろうと草薙は判断した。

「だから彼女が富樫さんを殺したと？　警察の考えることは、いつも単純ですね」工藤はふっと鼻で息を吐き出し、肩をすくめた。

「すみません、芸がなくて。もちろん、花岡さんだけを疑っているわけではありません。ただ、今の時点では、彼女を容疑の対象から外すわけにはいかないんです。彼女本人でなくても、彼女の周囲に鍵を握る人物がいる可能性もありますし」

「彼女の周囲に？」工藤は眉をひそめてから、何事かを合点したように首を縦に振り始めた。「ははあ、そういうことですか」

「何でしょうか」

「あなたは彼女が誰かに頼んで、元夫を殺してもらった、と考えているわけだ。それで私のところに来たんだ。私は殺し屋の第一候補ということですか」

「そのように決めつけているわけではありませんが……」草薙はわざと語尾をぼかした。工藤なりに何か思いついたことがあるならば、それを聞いておこうと思ったのだ。

「だったら、私のところだけでなく、ほかにも当たらなきゃいけないところはたくさんありますよ。彼女に惚れてた客は大勢いましたからね。何しろ、あれだけの美人だから。ホステス時代だけの話じゃない。米沢夫妻の話によれば、彼女に会いたくて弁当を買いに来る客だっているそうですよ。そういう人たち全員に会ってみたらいかがですか」

「氏名と連絡先がわかれば、無論、会いに行くつもりです。御存じの方はいますか」

「いいえ知りません。それに残念ながら、私はそういう告げ口はしない主義です」工藤は手刀を横に振った。「まあしかし、仮に全員に当たったとしても無駄足でしょう。彼女はそんなことを頼んだりする人じゃない。そんな悪女でもなければ馬鹿でもない。もう一つ付け加えれば、私も、好きな人間から頼まれたからといって人殺しをするほど馬鹿じゃない。草薙さんとおっしゃいましたね、わざわざ来ていただいたのですが、どうやら収穫は何もないようですよ」早口でまくしたてた後、彼は立ち上がった。さっさと帰れ、という意味のようだ。

草薙は腰を上げた。だがメモを取る手はそのままだ。

「三月十日は、いつものように会社に出ておられましたか」

工藤は一瞬、虚をつかれたように目を丸くした。次にその目を険しくした。

「今度はアリバイですか」

「まあ、そういうことです」

取り繕《つくろ》う必要はないと草薙は思った。どうせ工藤は腹を立てている。

「ちょっと待ってください」工藤は書類鞄の中から分厚い手帳を出してきた。それをぱらぱらとめくり、吐息をついた。「何も書いてないから、たぶんいつもと同じでしょう。六時頃に会社を出たと思います。疑うなら社員に訊いてみてください」

「会社を出た後は？」

「だから、何も書いてないから、たぶんいつもと同じです。ここへ帰ってきて、適当に何か食って寝たんでしょう。一人だから証人はいません」

「もう少しよく思い出していただけませんか。こちらとしても、容疑者リストの人数を減らしたいんですよ」

工藤は露骨にげんなりした顔を作り、もう一度手帳に目を落とした。

「ああそうか、十日か。ということは、あの日だな……」独り言のように呟いた。

「何か？」

「取引先に出向いた日です。夕方行って……そうだ、焼き鳥を御馳走になったんだった」

「時間はわかりますか」

「正確には覚えてないな。九時ぐらいまで飲んでたんじゃなかったかな。その後は真っ直ぐに帰りました。相手はこの人です」工藤は手帳に挟んであった名刺を出してきた。デザイン事務所のようだった。

「結構です。ありがとうございました」草薙は一礼し、玄関に向かった。

彼が靴を履いていると、「刑事さん」と工藤が声をかけてきた。

「いつまで彼女のことを見張っているつもりですか」

草薙が黙って視線を返すと、彼は敵意をこめた表情で続けた。

「見張っていたから、私と彼女が一緒にいるところを目撃したわけでしょう？　そうして、おそらく私のことを尾行した」

草薙は頭を掻いた。「参りましたね」

「教えてください。いつまで彼女を追いかけ回すつもりですか」

草薙はため息をついた。笑顔を作るのはやめて工藤を見つめた。

「それはもちろん、その必要がなくなるまで、です」

まだ何かいいたそうにしている工藤に背を向け、お邪魔しました、といって草薙は玄関のドアを開けた。

マンションを出ると、彼はタクシーを拾った。

「帝都大学へ」

運転手が返事をして車を発進させるのを確認してから、草薙は手帳を開いた。自分の走り書きを見ながら工藤とのやりとりを反芻した。アリバイの裏づけを取る必要はある。しかし彼としては結論は出ていた。

あの男はシロだ。本当のことをいっている――。

そして、本気で花岡靖子に惚れている。さらに、彼がいったように、花岡靖子に協力しようとする人間がほかにいる可能性は大いにある、と思った。

帝都大学の正門は閉じられていた。ところどころに照明灯があるので、真っ暗ではなかったが、夜の大学には不気味な空気が籠もっているようだった。草薙は通用門から中に入り、守衛室で来訪の目的を告げてから奥に進んだ。「物理学科第十三研究室の湯川助教授と会うことになっている」と守衛には説明したのだが、じつはアポイントメントは取っていなかった。

学舎内の廊下はひっそりとしていた。しかし無人でないことは、いくつかのドアの隙間から漏れている室内の明かりでわかった。おそらく何人かの研究者や学生たちが、黙々とそれぞれの研究に没頭しているに違いない。そういえば湯川もしばしば大学に泊まり込んでいるという話を、草薙は以前聞いたことがあった。

湯川に会いに行こうということは、工藤の部屋に行く前から決めていた。方向が同じだということもあるが、ひとつだけ確認しておきたいことがあったのだ。

なぜ『べんてん亭』に湯川は現れたのだろうか。大学の同窓である数学教師と一緒だったが、彼と何か関係があるのか。もし事件のことで何か気づいたことがあるのなら、なぜ草薙にいわないのか。それとも、数学教師と懐かしい昔話に花を咲かせたかっただけで、『べんてん亭』に寄ったことには特に意味はないのか。

だが草薙には、湯川が何の目的もなく、未解決事件の容疑者が働いている店にわざわざ行くとは思えなかった。余程のことがないかぎり、草薙が担当している事件には極力関わらないようにする、というのが湯川のこれまでのスタンスだったからだ。面倒に巻き込まれたくないのではなく、草薙の立場を尊重してくれているからだ。

第十三研究室のドアには行き先表示板が吊されていた。ゼミの学生や大学院生の名前と並んで、湯川の名前もあった。表示板によれば、外出、となっていた。草薙は舌打ちした。外出先からそのまま帰宅するだろうと思ったからだ。

それでも一応ドアをノックしてみた。表示板によれば、大学院生二人が在室のはずだ。

どうぞ、太い声で返事があったので、草薙はドアを開いた。見慣れた研究室の奥から、トレーナー姿の眼鏡をかけた若者が現れた。何度か見たことのある大学院生だ。

「湯川はもう帰ったのかな」

草薙の質問に、大学院生は申し訳なさそうな顔をした。

「ええ、ついさっき。携帯電話の番号ならわかりますが」

「いや、それは知っているから大丈夫。それに、特に用があるわけでもないんだ。近くまで来たから寄っただけで」

「そうですか」大学院生は表情を緩めた。草薙という刑事が、時々油を売りに来ることは、湯川から聞いて知っているに違いなかった。

「あいつのことだから、遅くまで研究室にこもっているんじゃないかと思ってね」

「いつもならそうなんですけど、ここ二、三日は早いですね。特に今日は、どこかに寄るようなことをおっしゃってました」

「へえ、どこへ？」草薙は訊いた。もしや、またあの数学教師に会いに行ったのか——。

だが大学院生の口から出たのは、予期していない地名だった。

「詳しいことは知りませんけど、篠崎のほうだと思います」

「篠崎？」

「ええ。訊かれたんです、篠崎駅に行くには、どう行けば一番早いかなって」

「何しに行くかは聞いてないんだね」

「はあ。篠崎に何かあるんですかって訊いたんですけど、いやちょっとっていわれただけで……」

「ふうん」

草薙は大学院生に礼をいって部屋を出た。釈然としない思いが胸に広がっている。湯川は篠崎駅に何の用があるのか。それはいうまでもなく、今度の事件現場の最寄り駅だ。

大学を出た後、携帯電話を取り出した。しかし湯川の番号をメモリから呼び出したところで解除した。今の段階で詰問するのは得策でないと判断したからだ。湯川が草薙に何の相談もなしに事件と関わろうとしているのならば、何らかの考えがあるからに違いないと思ったからだ。

だが——。

俺なりに気になることを調べるのは構わないだろう、と彼は思った。

追試験の採点の途中で石神はため息をついた。あまりにも出来が悪いからだった。合格させることを前提に作った試験で、期末試験よりもずっと易しくしたつもりだったが、まともな解答が殆どないのだ。どんなに悪い点を取ろうが、結局学校側が進級させてくれることを見越して、生徒たちは真面目に準備していないのだろうと思われた。実際、進級させないことなどまずない。合格点に至らなかった場合でも、何らかの屁理屈をつけて、最後には全員を進級させてしまうのだ。

それならば最初から数学の成績を進級の条件にしなければいいのに、と石神は思う。数学を本当に理解できるのは、ほんの一握りの人間だけで、高校の数学などという低レベルなものの解法を全員に覚えさせたところで、何の意味もない。この世に数学という難解な学問があるということさえ教えれば、それでいいではないか、というのが彼の考えだった。

採点を終えたところで時計を見た。午後八時になっていた。

道場の戸締まりを点検してから、彼は正門に向かった。門を出て、信号のある横断歩道で待っていると、一人の男が近づいてきた。

「今、お帰りですか」男は愛想笑いを浮かべていた。「アパートにいらっしゃらなかったので、こちらかと」

見覚えのある顔だった。警視庁の刑事だ。

「あなたはたしか……」

「お忘れかもしれませんが」

相手が上着の内側に手を入れるのを制して、石神は頷いた。

「草薙さんでしょう。覚えています」

信号が青に変わったので、石神は歩きだした。草薙もついてきた。

なぜこの刑事が現れたのか――石神は足を動かしながら、頭の中で思考を開始した。二日前に湯川がやってきたが、そのことと関係があるのだろうか。捜査協力を依頼したがっている、という意味のことを湯川はいっていたが、それについては断ったはずだ。

「湯川学という男を御存じですね」草薙が話しかけてきた。

「知っています。あなたから私のことを聞いたといって、会いに来てくれました」

「そのようですね。先生が帝都大学理学部の出身だと知り、ついしゃべってしまったんです。余計なことをしたのでなければいいのですが」

「いえ、私のほうも懐かしかった」

「彼とはどんな話を？」

「まあ、昔話が中心ですよ。一度目は、殆どそれだけでした」

「一度目？」草薙は怪訝そうな顔をした。「何回かお会いになってるんですか」

「二回です。二度目は、あなたに頼まれて来たといってましたが」

「私に？」草薙の目が泳いだ。「ええと、彼はどんなふうにいってましたか」

「私に捜査協力を頼めるかどうか打診してほしいといわれたとかいって……」

「ははあ、捜査協力ですか」草薙は歩きながら額を掻いた。

様子がおかしい、と石神は直感していた。この刑事は戸惑っているように見える。湯川の話に心当たりがないのかもしれない。

草薙は苦笑を浮かべた。

「彼とはいろいろな話をしたので、どの件なのか、ちょっと混乱しています。ええと、どういう捜査協力だといってましたか」

刑事の問いに石神は思案した。花岡靖子の名前を出すのは躊躇われた。しかしここでとぼけても無駄だ。草薙は湯川に確認をとるだろう。

花岡靖子の監視役だ、と石神はいった。草薙は目を見開いた。

「あ……そうでしたか。ははあ、ああ、なるほど。ええ、たしかに彼にそういうことを話したのは事実です。石神さんに協力してもらえないかという意味のことをね。それで彼が気を利かせて、石神先生に早速話してくれたんでしょう。なるほど、わかりました」

刑事の台詞は、急遽《きゆうきよ》取り繕ったもののようにしか石神には聞こえなかった。すると湯川は独断で、あんなことをいいに来たということになる。その目的は何なのか。

石神は足を止め、草薙のほうに向き直った。

「そういうことを訊くためにに、今日はわざわざいらっしゃったんですか」

「いや、すみません。今のは前置きです。用件は別にありまして」草薙は上着のポケットから一枚の写真を出してきた。「この人物を見たことはありませんか。私の隠し撮りなんで、あまりうまく写ってないんですが」

写真を目にし、石神は一瞬息を呑んだ。

そこに写っているのは、彼が現在最も気にしている人物だった。名前は知らない。身分も知らない。わかっているのは、靖子が親しくしている、ということだけだ。

「どうですか」草薙が再び訊いてきた。

何と答えればいいだろう、と石神は考えた。知らない、といってしまえばそれで済む。だがそれでは、この男に関する情報を引き出すこともできない。

「見たことがあるような気もしますね」石神は慎重に答えた。「どういう人ですか」

「どこで見たのか、もう少しよく考えていただけませんか」

「そういわれても、毎日いろいろな人と会いますからね。名前や職業を教えていただけると、記憶を辿りやすいんですが」

「クドウという人です。印刷会社を経営しています」

「クドウさん？」

「ええ。工場の工に、藤と書きます」

工藤というのか——石神は写真を見つめた。それにしてもなぜ刑事が、あの男について調べているのか。当然、花岡靖子との絡みだろう。つまりこの刑事は、花岡靖子と工藤の間に特殊な繫がりがあると考えているわけか。

「いかがですか。何か思い出されたことはありますか」

「うーん、見たことがあるような気もするんですが」石神は首を捻った。「すみません。どうも思い出せない。もしかしたら、誰かと間違えているのかもしれないし」

「そうですか」草薙は残念そうな顔で写真を懐にしまい、代わりに名刺を出した。「もし何か思い出されたら、連絡をいただけますか」

「わかりました。あの、その方が事件に何か関係があるんですか」

「それはまだ何とも。それを調べているわけでして」

「花岡さんに関係している人なんですか」

「ええ、それはまあ一応」草薙は言葉を濁した。情報を漏らしたくないという姿勢が現れていた。

「ところで、湯川と『べんてん亭』に行かれましたよね」

石神は刑事の顔を見返していた。意外な方向からの質問だったので、咄嗟に言葉が出なかった。

「一昨日、たまたまお見かけしたんですよ。こちらは仕事中だったので、声をおかけできませんでしたが」

『べんてん亭』を見張っていたのだな、と石神は察した。

「湯川が、弁当を買いたいといったものですから。それで私が案内を」

「なぜ『べんてん亭』に？　弁当なら近くのコンビニでも売っているじゃないですか」

「さあ……それは彼に訊いてください。私は頼まれて連れていっただけですから」

「湯川は花岡さんや事件について、何かいってませんでしたか」

「ですから、私に捜査協力の打診を……」

草薙は首を振った。

「それ以外にです。お聞きになったかもしれませんが、彼はしばしば私の仕事に有効なアドバイスをくれるんです。物理学者として天才ですが、探偵の能力もなかなかのものでしてね。それで、いつもの調子で何か推理らしきものを述べたんじゃないかと期待したわけですが」

草薙の質問に、石神は軽い混乱を覚えた。頻繁に会っているのなら、湯川とこの刑事は情報交換をしているはずだ。それなのに、なぜ自分にこんなことを訊くのだろう。

「特に何もいってませんでしたが」石神としては、そういうしかなかった。

「そうですか。わかりました。お疲れのところ、申し訳ありませんでした」

草薙は頭を下げ、歩いてきた道を戻っていった。その後ろ姿を見ながら、石神は得体の知れない不安感に包まれていた。

それは、絶対に完璧だと信じていた数式が、予期せぬ未知数によって徐々に乱れていく時の感覚に似ていた。

11

都営新宿線篠崎駅を出たところで、草薙は携帯電話を取り出した。メモリから湯川学の番号を選び、発信ボタンを押した。耳に当て、周囲を見渡す。午後三時という中途半端な時間帯のわりには人が多い。スーパーの前には相変わらず自転車がずらりと並んでいる。

間もなく回線の繋がる気配があった。呼出音が聞こえるのを草薙は待った。

だがそれが鳴る前に彼は電話を切っていた。視線の先に目的の人物を捉えたからだった。

本屋の前のガードレールに腰掛け、湯川がソフトクリームを食べていた。白のパンツに黒のカットソーというスタイルだった。やや小さめのサングラスをかけている。

草薙は道を渡り、彼の背後から近づいていった。湯川はじっとスーパーの周辺に目を向けているようだ。

「ガリレオ先生」

脅かすつもりで声をかけたが、湯川の反応は意外なほど鈍かった。ソフトクリームを舐めながら、スローモーションのようにゆったりとした動きで首を回した。

「さすがに鼻がきくな。刑事が犬と揶揄《やゆ》されるのもわかる気がする」殆ど表情を変えずにそういった。

「こんなところで何をしているんだ。おっと、ソフトクリームを食っている、なんていう答えは聞きたくないからな」

湯川は苦笑した。

「君こそ何をしている、と訊きたいところだけど、答えは明白だな。僕を探しに来たんだろ。いや、僕が何をしているか探りに来た、というべきかな」

「そこまでわかっているなら素直に答えろよ。何をしているんだ」

「君を待っていた」

「俺を？　ふざけてるのか」

「大いに真面目だよ。さっき、研究室に電話してみた。すると、君が訪ねてきたと大学院生がいってた。君は昨夜も僕を訪ねてきたそうじゃないか。それで、ここで待っていれば君が現れるだろうと予想したわけさ。僕が篠崎に来ているらしいことは、大学院生から聞いて知っているだろうからね」

湯川のいうとおりだった。帝都大学の研究室に行ったところ、昨日と同様に彼は外出中だと知らされたのだ。行き先が篠崎ではないかと推理したのは、昨夜大学院生から聞いた話が元になっている。

「俺は、おまえが何のためにこんなところに来ているのかを訊いてるんだ」草薙は少し大きな声を出した。この物理学者のまどろっこしい言い回しには慣れているつもりだが、苛立ちは抑えられなかった。

「まあ、そう焦るなよ。コーヒーでもどうだ。自動販売機のコーヒーだけど、うちの研究室で飲むインスタントよりはうまいはずだぜ」湯川は立ち上がり、ソフトクリームのコーンを近くのゴミ箱に投げ捨てた。

スーパーの前にある自販機で缶コーヒーを買うと、湯川はそばの自転車に跨って、それを飲み始めた。

草薙は立ったまま缶コーヒーの蓋を開け、周囲を見回した。

「他人の自転車に勝手に乗るなよ」

「大丈夫だ。これの持ち主は当分現れない」

「どうしてそんなことがわかる」

「持ち主はこれをここに置いた後、地下鉄の駅に入っていった。一つ隣の駅まで行くだけにしても、用を済ませてから帰ってくるまでに、三十分ぐらいはかかるだろう」

草薙はコーヒーを一口飲み、げんなりした顔を作った。

「あんなところでソフトクリームを食いながら、そんなことを眺めてたのか」

「人間観察は僕の趣味でね。なかなか面白い」

「能書きはいいから、早く説明してくれ。どうしてこんなところにいる？　例の殺人事件とは無関係だなんていう、見え透いた嘘はつくなよ」

するとと湯川は身体を捻り、跨っている自転車の後輪カバーのあたりを見た。

「最近じゃ、自転車に名前を書いている人は減ったな。他人に身元を知られたら危険だという配慮からだろう。昔は、必ずといっていいほど名前を書いたものだけど、時代が変われば習慣も変わる」

「自転車が気になるようだな。たしか、以前もそんなことをいっていた」

先程からの言動で、湯川が何を意識しているのか、草薙にもわかってきた。

湯川は頷いた。

「君は以前、自転車が捨てられていたことについて、偽装工作である可能性は低いという意味のことをいってたな」

「偽装工作としては意味がないといったんだ。わざと自転車に被害者の指紋を付けておくなら、死体の指紋を焼く必要はないだろ。実際、自転車の指紋から身元が割れたんだし」

「そこなんだがね、もし自転車に指紋が付いてなかったとしたらどうだろう。君たちは死体の身元を突き止めることはできなかっただろうか」

湯川の質問に、草薙は十秒ほど黙った。考えたことのない問題だった。

いや、と彼はいった。

「結果的に、レンタルルームから行方をくらました男と指紋が一致したので身元がわかったわけだけど、指紋がなくても問題はなかっただろう。ＤＮＡ鑑定を行ったことは、前にも話したよな」

「聞いている。つまり、死体の指紋を焼いたこと自体、結局は無意味だったわけだ。ところが、もし犯人がそこまで計算に入れていたとしたらどうだろう」

「無駄になることを承知で指紋を焼いたというのか」

「もちろん犯人にとって意味はあった。ただしそれは死体の身元を隠すためではなかった。そばに放置された自転車が偽装工作でないと思わせるための工夫だった、とは考えられないだろうか」

意表をついた意見に、草薙は一瞬絶句した。

「じつのところあれはやはり偽装工作だった、といいたいわけか」

「ただし、何を狙った偽装かは不明だ」湯川は跨っていた自転車から降りた。「被害者が自力でその自転車を運転して現場まで行った、と見せかけたかったのはたしかだろう。ではそのように偽装する意味は何か」

「実際には被害者は自力では動けなかったが、それをごまかすという意味があった」草薙はいった。「すでに殺されていて、死体となって運ばれたということだ。うちの班長なんかは、その説を取っている」

「君はその説に反対だったな。最有力容疑者の花岡靖子が運転免許を持ってないから、というのが理由だったと思うが」

「共犯者がいるとすれば話は別だ」草薙は答えた。

「まあそれはいい。そのことより僕が問題にしたいのは、自転車が盗まれた時刻のほうなんだ。午前十一時から午後十時の間と判明しているようだが、それを聞いて疑問に思ったんだ。よくまあそんなふうに特定できたものだな、とね」

「そんなことといっても、持ち主がそういってるんだから仕方がない。別に難しい話じゃないだろ」

「そこなんだ」湯川はコーヒーの缶を草薙のほうに突き出した。「なぜそうあっさりと持ち主が見つかったんだ」

「それまた難しい話じゃない。盗難届が出されていたんだ。だから照会すれば済む問題だ」

草薙が答えると、湯川は低く唸った。厳しい目をしているのが、サングラス越しでもわかった。

「何だ。今度は何が気に入らない？」

湯川は草薙を見つめてきた。

「その自転車が盗まれた場所というのを君は知っているのか」

「そりゃ、知ってるよ。何しろ、俺が持ち主から事情聴取したんだからな」

「じゃあ、お手数だけど案内してもらえないか。このあたりなんだろ？」

草薙は湯川の顔を見返した。何のためにそこまで、と訊きたかった。しかし彼はそれを我慢した。湯川の目が、推理を研ぎすます時に見せる鋭い光を放っていた。

こっちだ、といって草薙は歩きだした。

その場所は彼等が缶コーヒーを飲んだところから五十メートルと離れていなかった。自転車がずらりと並んでいる前に草薙は立った。

「ここの歩道の手すりにチェーンで繋いであったそうだ」

「犯人はチェーンを切ったのかな」

「おそらくそうだろう」

「チェーンカッターを用意していたということか……」そういって湯川は並んでいる自転車を眺めた。「チェーンなんか、つけてない自転車のほうが多いじゃないか。それなのに、どうしてわざわざそんな面倒なことをしたんだろう」

「そんなこと知らないよ。気に入った自転車に、たまたまチェーンが付いていた、というだけのことじゃないのか」

「気に入った……か」湯川は独り言のように呟いた。「一体、何が気に入ったのかな」

「おまえ、何がいいたいんだ？」草薙は少し苛立ってきた。

すると湯川は草薙のほうに向き直った。

「君も知ってのとおり、僕は昨日もここへ来た。で、今日と同じようにこの周辺を観察した。一日中、自転車は置かれている。しかもかなりの数だ。きちんと鍵をかけてあるものもあれば、盗まれるのも覚悟といった感じの自転車もある。そんな中から、なぜ犯人は、その自転車を選んだのか」

「犯人が盗んだと決まったわけじゃない」

「いいだろう。被害者自身が盗んだと考えてもいい。どちらにせよ、なぜその自転車だったのか」

草薙は頭を振った。

「おまえのいいたいことがよくわからん。盗まれたのは、何の変哲もないふつうの自転車だ。適当に選んだのが、それだったというだけのことだろ」

「いや、違うな」湯川は人差し指を立て、それを横に振った。「僕の推理をいおう。その自転車は新品もしくは新品同様の品だった。どうだい、違うかい？」

草薙は虚を突かれた思いだった。自転車の持ち主である主婦とのやりとりを回想した。

「そうだった」彼は答えた。「そういえば、先月買ったばかりだとかいってた」

湯川はそれが当然だという顔で頷いた。

「だろうな。だからこそ、きちんとチェーンをかけていたし、盗まれたとなれば、早々に警察に届けたんだろう。逆にいうと、犯人はそういう自転車を盗むつもりだった。そのために、チェーンをかけてない自転車なんかいくらでもあるとわかっていながら、わざわざチェーンカッターを用意してきたんだ」

「わざと新品を狙ったというのか」

「そういうことになる」

「何のために？」

「そこだよ。そんなふうに考えると犯人の狙いは一つしか見えてこない。犯人としては、自転車の持ち主に何としても警察に届けてほしかったんだ。それによって、犯人にとって何か都合のいいことが起きるからだと考えられる。具体的にいうと、警察の捜査を誤った方向に導く効果があるということだ」

「自転車が盗まれたのは午前十一時から午後十時の間と判明したが、それが違っているといいたいわけか。しかしだ、自転車の持ち主がどう証言するかは、犯人にはわからないじゃないか」

「時間についてはそうだろう。しかし、自転車の持ち主が間違いなく証言することがある。それは、盗まれた場所は篠崎駅、ということだ」

草薙は息を呑み、物理学者の顔を見つめた。

「俺たち警察の目を篠崎駅に向けさせるための偽装だといいたいのか」

「そういう考え方もできるだろ」

「たしかに俺たちは篠崎駅周辺の聞き込みに人手と時間を割いている。おまえの推理が正しければ、それはすべて無駄ということか」

「無駄ではないだろう。この場所で自転車が盗まれたのは事実なんだから。でも、そこから何かが摑めるほど、この事件は単純じゃない。もっと巧妙に、もっと精緻《せいち》に組み立てられている」そういうと湯川は踵を返し、歩きだした。

草薙はあわてて彼を追った。「どこへ行くんだ」

「帰るんだよ、決まってるだろ」

「ちょっと待てよ」草薙は湯川の肩を摑んだ。「肝心なことを訊いていない。おまえがこの事件に関心を持つ理由は何なんだ」

「関心を持っちゃいけなかったかい」

「答えになってないぞ」

湯川は草薙の手を肩から振り払った。「僕は被疑者かい？」

「被疑者？　まさか」

「だったら、何をしようと勝手だろ。君たちの邪魔をしているつもりはない」

「それじゃあいわせてもらうが、花岡靖子の隣に住んでる数学教師に、俺の名前を出して嘘をついただろ。俺があの男に捜査協力を頼みたがっている、とかいったそうじゃないか。その狙いを訊く権利はあるはずだぜ」

湯川の目が草薙を見据えてきた。ふだんあまり見せたことのない冷徹な表情に変わっていた。

「彼のところに行ったのか」

「行ったさ。おまえが何も話してくれないからな」

「彼は何かいってたか」

「待てよ。質問しているのは俺のほうだぜ。あの数学教師が事件に絡んでいると思うのか」

だが湯川は答えず、目をそらした。そして再び駅に向かって歩きだした。

「おい、待てったら」草薙は背中に呼びかけた。

湯川は立ち止まり振り返った。

「君にいっておくが、今回にかぎっては、全面協力というわけにはいかない。僕は個人的な理由で事件を追っている。僕には期待しないでくれ」

「だったら俺も、今までみたいに情報提供するわけにはいかないぜ」

すると湯川は一旦視線を落とした後、頷きかけてきた。

「それならそれで仕方がないな。今回は別行動ということにしよう」そういって歩き始めた。その背中には強い意思が示されていた。草薙はもう声をかけなかった。

煙草を一本吸ってから草薙は駅に向かった。時間を潰したのは、湯川と同じ電車に乗らないほうがいいだろうと判断したからだ。理由はわからないが、今回の事件には湯川の個人的な問題が関わっており、彼はそれを一人で解決しようとしている。その思考の邪魔をしたくなかったのだ。

地下鉄に揺られながら草薙は考えた。湯川は何を悩んでいるのか――。

やはりあの数学教師のことだろう。名前は石神といったはずだ。だが草薙たちのこれまでの捜査では、石神のことなどどこにも浮かび上がってきていない。ただ花岡靖子の隣人というだけのことだ。それなのになぜ湯川が彼を気にするのか。

草薙の脳裏に、弁当屋で見た光景が蘇った。夕方、湯川は石神と現れた。石神によれば、湯川が『べんてん亭』に行きたいといいだしたそうだ。

湯川は無意味なことをわざわざする人間ではない。石神と共にあの店に行ったのは、何らかの狙いがあったからなのだ。それは一体何か。

そういえば、あの直後に工藤が現れたのだった。しかし湯川がそのことを予期していたとは思えない。

草薙は何となく、工藤から聞いた様々な話を思い出していた。彼の話の中にも石神のことなど出てこなかった。というより、誰の名前も出さなかった。工藤は、はっきりとこういったのだ、自分は告げ口をしない主義だ、と。

その瞬間、何かが草薙の頭に引っかかった。告げ口をしない主義——その台詞が出たのは、どういう話をしていた時だろう。

「彼女に会いたくて弁当を買いに来る客だっているそうですよ」苛立ちを抑えながらそういっていた工藤の顔を思い出した。

草薙は大きく息を吸い込み、背中をぴんと伸ばした。向かいに座っていた若い女性が、気味悪そうに彼を見た。

草薙は地下鉄路線図を見上げた。浜町で降りよう、と思った。

ハンドルを握るのは久しぶりだが、走り始めて三十分もすると、運転自体には慣れてきた。ただし、目的の場所で路上駐車するのには少し手間取った。どこに停めても他の車の迷惑になるような気がするからだった。幸い、どこかの軽トラックが無造作に駐車したので、そのすぐ後ろに停める決心がついた。

レンタカーを借りたのは二度目だった。大学で助手をしていた頃、学生たちを連れて発電所の見学に行った際、現地を移動するのにどうしても必要で、やむなく借りたのだ。あの時には七人乗りのワゴン車だったが、今日は国産の小さな大衆車だ。だから運転はずいぶんと楽だ。

石神は斜め右側の小さなビルに目を向けた。『有限会社　ヒカリグラフィック』の看板が出ている。工藤邦明の会社だ。

この会社を探り当てるのは、さほど難しいことではなかった。刑事の草薙から、工藤という名字と、印刷会社を経営しているという手がかりを得ていたからだ。石神はインターネットを使い、印刷会社のリンク集が載っているサイトを見つけると、東京の会社を片っ端から調べていった。経営者の名字が工藤なのは、『ヒカリグラフィック』だけだった。

今日、授業が終わると、石神はすぐにレンタカー会社に出向き、事前に予約しておいた車を借りた。それを運転して、この地にやってきたのだった。

レンタカーを借りることには、無論、危険が伴う。あらゆる意味で証拠が残ってしまうからだ。

しかし彼は熟考を重ねた末に行動に出たのだった。

車に備え付けられているデジタル時計が午後五時五十分を示した時、ビルの正面玄関から数名の男女が出てきた。その中に工藤邦明の姿があるのを確認し、石神は身体を固くした。

彼は助手席に置いてあったデジタルカメラに手を伸ばした。電源を入れ、ファインダーを覗いた。工藤に焦点を合わせ、ズームを上げた。

工藤は相変わらず、垢抜けた服装をしていた。石神には、どこに行けばそういう服が売られているのかさえもわからなかった。靖子が好むのはこういう男なのか、と改めて思った。靖子だけではない、世の中の多くの女性が、自分と工藤のどちらかを選べといわれたなら、間違いなく彼を取るだろうと石神は思った。

嫉妬心に駆られつつ、彼はシャッターを押した。ストロボは光らないように設定してある。それでも液晶画面には、工藤の姿が鮮やかに写されていた。まだ日は高く、周囲は十分に明るいからだ。

工藤がビルの裏手に回った。そこに駐車場があることはすでに確かめてあった。石神は車が出てくるのを待った。

やがて一台のベンツが出てきた。緑色だ。運転席に工藤がいるのを見て、石神はあわててエンジンをかけた。

ベンツの後部を見ながら、彼は車を走らせた。運転自体が慣れていないのに、尾行するのは容易ではなかった。すぐに間に他の車に入られてしまい、見失いそうになる。特に信号の変わり目は難しい。だが幸い工藤は安全運転だった。スピードを出しすぎることもないし、信号では黄色できちんと停止する。

むしろ、あまり近づきすぎて気づかれるのではないかと不安になった。しかし尾行をやめるわけにはいかない。最悪のケースとして、相手に気づかれることも石神の頭にはあった。

運転しながら石神は、時折カーナビに目をやった。地理にはあまり詳しくないからだ。工藤のベンツは品川に向かっているようだった。

車の数が増え、追尾するのが徐々に難しくなってきた。少し油断している間に、トラックに入られた。おかげでベンツの姿はまるで見えなくなった。おまけに、車線を変えようかどうか迷っている間に、信号が変わった。トラックが先頭のようだ。つまり、ベンツは走り去ったということになる。

ここまでか——石神は舌打ちをした。

だが信号が青になって再び走りだして間もなく、次の信号で右折のウインカーを出しているベンツが目に入った。間違いなく工藤の車だった。

道路の右側にはホテルが建っている。工藤はそこに入るつもりらしい。

石神は躊躇わず、ベンツの後ろについた。怪しまれているかもしれないが、ここまでついてきたからには引っ込みがつかない。

右折信号が出ると、ベンツが動きだした。石神もついていく。ホテルの門を入って左側に、地下へと続くスロープがある。駐車場への入り口らしい。ベンツに続いて、石神もそこへ車を滑り込ませた。

駐車場のチケットを取る時、工藤が小さく振り向いた。石神は首をすくめた。工藤が何かに気づいているのかどうかはわからない。

駐車場は空いていた。ベンツはホテルへの入り口に近い場所に停まった。石神はそこからかなり離れたところに車を停めた。エンジンを切るや否やカメラを構えた。

工藤がベンツから降りた。そのシーンでまずシャッターを押した。工藤は石神のほうを気にしている。やはり何か疑っているようだ。石神は頭をさらに下げた。

だが工藤はそのままホテルの入り口へと向かった。彼の姿が消えるのを確認してから、石神は車を発進させた。

とりあえず、この二枚だけでもいいか――。

駐車場にいた時間が短かったため、出口のゲートをくぐる時に料金は請求されなかった。石神は慎重にハンドルをきり、細いスロープを上がっていった。

この二枚の写真に応じた文面を、彼は考えていた。頭の中で組み立てた文章は、大体次のようなものだった。

『貴女が頻繁に会っている男性の素性をつきとめた。写真を撮っていることから、そのことはおわかりいただけると思う。

貴女に訊きたい。この男性とはどういう仲なのか。

もし恋愛関係にあるというのなら、それはとんでもない裏切り行為である。

私が貴女のためにどんなことをしたと思っているのだ。

私は貴女に命じる権利がある。即刻、この男性と別れなさい。

さもなくば、私の怒りはこの男性に向かうことになる。

この男性に富樫と同じ運命を辿らせることは、今の私には極めて容易である。その覚悟もあるし、方法も持っている。

繰り返すが、もしこの男性と男女の関係にあるのならば、そんな裏切りを私は許さない。必ず報復するだろう。』

石神は組み立てた文章を口の中でぶつぶつと復唱した。威嚇《いかく》効果があるかどうか、吟味した。

信号が変わり、ホテルの門をくぐろうとしたその時だった。

歩道からホテルに入ってくる花岡靖子を見て、石神は思わず目を剝いていた。

12

靖子がティーラウンジに入っていくと、奥の席で手を挙げる者がいた。ダークグリーンのジャケットを着た工藤だった。店内は三割ほどの席が埋まっている。カップルの姿もあるが、商談を交わしている様子のビジネスマンが目についた。その中を、やや俯き加減にして彼女は歩いた。

「急に呼び出して悪かったね」工藤は笑顔でいった。「とりあえず何か飲み物でも」

ウェイトレスが近づいてきたので、靖子はミルクティーを注文した。

「何かあったの？」彼女は訊いた。

「いや、大したことじゃないんだが」彼はコーヒーカップを持ち上げた。だがそれに口をつける前にいった。「昨日、僕のところに刑事が来た」

靖子は目を見張った。「やっぱり……」

「僕のことは、君が刑事に話したのかい？」

「ごめんなさい。あなたと前に食事をした後で刑事がやってきて、誰とどこにいたのか、しつこく訊かれたの。それで、黙っていると余計に変に疑われると思って……」

工藤は顔の前で手を振った。

「謝ることはない。別に責めてるわけじゃないんだ。これからも堂々と会うためには、刑事たちにも我々のことを知っておいてもらわなきゃいけないから、かえってよかったとさえ思っている」

「そうなの？」靖子は上目遣いに彼を見た。

「ああ。しかし、当分はおかしな目で見られることになるだろうがね。さっきも、ここへ来る途中、尾行された」

「尾行？」

「最初は気がつかなかったんだけど、走っているうちにわかったんだ。同じ車がずっと、僕の後ろを走っていた。気のせいではないと思うよ。何しろ、このホテルの駐車場までつけてきたんだから」

何でもないことのように話す工藤の顔を靖子は凝視していた。

「それで？　その後は？」

「わからない」彼は肩をすくめた。「遠くだったから、相手の顔はよく見えなかったし、いつの間にかいなくなった。じつをいうと、君が現れる前から、こうして周りを見回しているんだけど、それらしき人間はいないみたいだ。もちろん、こっちの気づかないところから監視しているのかもしれないけど」

靖子は顔を左右に動かし、周囲の人々の様子を窺った。胡散《うさん》臭い人間は見当たらない。

「あなたのことを疑っているのね」

「君が富樫殺しの首謀者で、僕がその共犯だというシナリオを描いているらしい。昨日来た刑事は、露骨にアリバイを訊いて帰ったよ」

ミルクティーが運ばれてきた。ウェイトレスが立ち去るまでの間、改めて靖子は自分たちの周りに視線を配った。

「もし今も見張られているのだとしたら、こんなふうにあたしと会っているところを見られたら、また何か疑われるんじゃないかな」

「平気だよ。今もいったように、僕は堂々としていたい。こそこそ隠れて会うほうが、よっぽど怪しまれる。そもそも、人目を気にする仲ではないはずだぜ」工藤は大胆さを表現するように、ゆったりとソファにもたれ、コーヒーカップを傾けた。

靖子もティーカップに指をかけた。

「そういってくれるのはうれしいけど、工藤さんに迷惑がかかっているのだとしたら、本当に申し訳ない。やっぱり、しばらくは会わないほうがいいのかなって思うんだけど」

「君のことだから、そんなふうにいうと思ったよ」工藤はカップを置き、身を乗り出してきた。「だからこそ、今日わざわざ来てもらったんだ。僕のところに刑事が来たことはいずれ君の耳にも入るだろうけど、その時になって、君が変に気を遣ってはいけないと思ってね。はっきりいっておくけど、僕のことは全然気にしなくていい。アリバイを訊かれたといったけど、幸い証明できそうな人もいる。いずれは刑事たちだって、僕には興味を示さなくなるよ」

「それならいいけど」

「それより心配なのは、やっぱり君のことなんだ」工藤はいった。「僕が共犯でないことはいずれわかるだろう。でも刑事たちは、君に対する疑惑は捨てていない。これからも何かとうるさくつきまとってくるのかと思うと憂鬱になる」

「それは仕方ない。だって、富樫があたしのことを探してたのは事実みたいだから」

「全く、あの男も、何を思って今さら君にまとわりつこうとしたのか……。死んでもまだ君を苦しめるなんてなあ」工藤は渋面を作った。その後で改めて靖子を見た。「事件について、本当に君は何も関係していないよね。これは君を疑っているという意味じゃなくて、たとえわずかでも富樫と繋がりがあったのなら、僕にだけでも打ち明けておいてもらいたいんだけど」

　靖子は工藤の端正な顔を見返した。彼が突然会いたいといってきた真意はここにあるのだなと思った。彼女に対する疑いを、全く抱いていないわけではないのだ。

靖子は微笑を作った。

「大丈夫よ。あたし、何の関係もないから」

「うん、そうとわかっていても、君の口からはっきりいってもらえると安心する」工藤は頷いてから腕時計を見た。「せっかくだから、食事でもどうだい？　うまい焼鳥屋を知っているんだけど」

「ごめんなさい。今夜は美里に何もいってないから」

「そうか。じゃあ、無理に誘うわけにはいかないな」工藤は伝票を手にして、立ち上がった。

「行こうか」

彼が支払いをしている間、靖子はもう一度ざっとあたりを見回した。刑事らしき人間は見当たらない。

工藤には悪いが、彼に共犯の疑いがかかっている間は大丈夫だろう、と彼女は思った。つまり警察が真相とは程遠いところを調べていることになるからだ。

とはいえ、工藤との仲をこのまま進展させていいものかどうか、彼女は迷っていた。もっと親密になりたいという希望はある。だがそれを実現した場合、何か大きな破綻を呼ぶことにならないだろうかと不安だった。石神の無表情な顔が浮かんだ。

「送っていくよ」勘定を済ませた工藤がいった。

「今日はいいです。電車で帰るから」

「いいよ、送っていくよ」

「本当にいいの。買い物に寄りたいし」

「ふうん……」釈然としない様子だったが、工藤は最後には笑みを見せた。「じゃあ、今日はここで。また電話するよ」

「ごちそうさま」靖子はそういって踵を返した。

品川駅に向かう横断歩道を渡っている時に、携帯電話が鳴りだした。彼女は歩きながらバッグを開けた。着信表示を見ると、『べんてん亭』の小代子からだった。

「はい」

「あっ、靖子。小代子だけど、今大丈夫？」声に妙な緊迫感があった。

「平気だけど、どうかした？」

「さっきあんたが帰った後、また刑事が来たのよ。それで変なことを訊いていったものだから、一応耳に入れておこうと思って」

携帯電話を握ったまま、靖子は目を閉じた。また刑事の話だ。彼等は蜘蛛の糸のように、彼女の周りにからみついてくる。

「変なことって、どういうこと？」不安を胸に靖子は訊いた。

「それがねえ、あの人のことなのよ。あの高校の先生。石神っていったっけ」

小代子の言葉に、靖子は電話を落としそうになった。

「あの人がどうかしたの？」声が震えた。

「刑事が訊いてきたのは、あんたに会うのが目的で弁当を買いに来てる客がいるそうだけど、ど

「うん、別に問題ないと思うよ。あの先生とは特に何の関係もないし」

都合が悪い、とは口が裂けてもいえない。

「そんなふうに話したんだけど、それで大丈夫だったかな。なんか都合の悪いことあったかな」

「あ、はい」

「もしもし靖子」小代子が呼びかけてきた。

口の中が渇くのを靖子は感じた。警察はついに石神に目をつけたのだ。その根拠は工藤の話だけだろうか。それともほかに何か理由があって、彼に着目したのだろうか。

「隠すのも変だと思ったから正直に答えたわよ。靖子さんの隣に住んでいる学校の先生だって。でも、靖子目当てってことは、あたしたちが勝手にいっていることだから、本当のところはどうかわからないって釘は刺しておいたからね」

「それで小代子さん、何と答えたの？」

そういうことかと靖子は合点した。工藤のところへ行った刑事が、その確認をするために『べんてん亭』を訪れたということだ。

「そういえば以前あたし、工藤さんに話したことがあるのよね。靖子ちゃんに会いたくて、毎朝通ってくる客もいるって。工藤さん、そのことを刑事に話したみたい」

彼とどう繋がるのか、まるでわからなかった。

「工藤さん？」

この誰だってことだったのよ。どうも、工藤さんから聞いてきたらしいのよね」

「そうだよね。とりあえず、そのことだけ話しておこうと思って」

「わかった。わざわざありがとう」

靖子は電話を切った。胃がもたれるような感覚があった。軽い吐き気がする。

その感覚はアパートに帰るまで続いていた。途中、スーパーで買い物をしたのだが、何を選んだのか、自分でもよく覚えていなかった。


隣の部屋のドアが開閉される音がした時、石神はパソコンの前にいた。画面上には三枚の写真が映し出されていた。工藤を撮影した二枚と、靖子がホテルに入っていくところを撮った一枚だ。出来れば二人が一緒にいるところを撮りたかったが、今度こそ工藤に見つかりそうだったし、万一靖子に気づかれたりしたら面倒だと思い、自重しておいたのだ。

石神は最悪のケースを想定していた。その場合にはこれらの写真が役立つはずだが、無論、そのようなことは何としてでも避けたいと彼は思った。

石神は置き時計をちらりと見てから立ち上がった。午後八時近くになっていた。どうやら靖子が工藤と会っていたのは、さほど長い時間ではなかったようだ。そのことで安堵する気持ちがあることを、彼は自覚していた。

彼はテレホンカードをポケットに入れ、部屋を出た。いつものように夜道を歩いていく。自分を見張っている気配がないか、慎重に確認した。

草薙という刑事のことを思い出していた。彼の用件は、じつに奇妙だった。花岡靖子に関する質問をしながらも、湯川学について尋ねるのが主目的だったような気がした。彼等は一体どういうやりとりをしているのだろう。自分が疑われているのかどうか判断がつかず、石神としては次の手を打ちにくかった。

いつもの公衆電話で靖子の携帯電話にかけた。三度目の呼出音で、彼女は電話に出た。

「私です」石神はいった。「今、大丈夫ですか」

「はい」

「今日は何か変わったことがありましたか」

工藤と会って、どういう話をしたのか訊きたかったが、尋ねる言葉が見つからなかった。二人が会ったことを石神が知っていること自体、不自然なのだ。

「あの、じつは……」そういったきり、彼女は躊躇ったように黙り込んだ。

「何ですか。何かあったんですか」工藤から、何かとんでもないことでも聞かされたのだろうか、と石神は思った。

「お店に……『べんてん亭』に刑事が来たそうなんです。それで、あの、あなたのことを訊いていったそうです」

「私のことを？　どんなふうに？」石神は唾を飲み込んだ。

「それが、ちょっと話がわかりにくいかもしれないんですけど、じつはうちの店の人が、前々から石神さんのことを噂してまして……あの、石神さんはお怒りになるかもしれませんけど……」

まどろっこしいな、と石神は苛立った。この人も数学は苦手に違いないと思った。

「怒りませんから、単刀直入におっしゃってください。どういう噂をされてたんですか」どうせ外見を馬鹿にしたような噂だろうと思いながら石神は訊いた。

「あのう、あたしはそんなことはないといってるんですけど、店の人が……あなたはあたしに会いたくて弁当を買いに来ているんだ、というようなことを……」

「え……」石神は一瞬、頭の中が白くなった。

「ごめんなさい。面白がって、冗談で、そんなことをいってるだけなんです。悪気はなくて、別に、実際にそうだとか本気で思っているわけじゃなくて」靖子は懸命に取り繕おうとしている。

だがその言葉の半分も彼の耳には届いていなかった。

そんなふうに思われていた、彼女以外の第三者から——。

それは誤解ではなかった。事実、彼は靖子の顔を見たくて、毎朝のように弁当を買いに行っているのだ。そんな自分の思いが彼女に伝わることは期待しなかった、といえば嘘になる。だが、他の人間にまでそんなふうに見られていたのかと思うと、全身が熱くなった。自分のような醜い男が、彼女のような美しい女に恋い焦がれる様子を見て、第三者たちは嘲笑していたに違いない。

「あの、怒っておられます?」靖子が尋ねてきた。

石神はあわてて咳払いをした。

「いえ……それで、刑事はどのようなことを?」

「ですから、その噂を聞きつけて、その客というのはどういう人か、店の者に尋ねたらしいです。店の者は、あなたの名前を出してしまったそうです」

「なるほど」石神は依然として体温が上昇したままだった。「刑事は誰からその噂を聞いたんでしょうか」

「それは……ちょっとわかりませんけど」

「刑事が訊いていったのは、そのことだけですか」

「そうらしいです」

受話器を握ったまま、石神は頷いた。狼狽している場合ではなかった。どういう経緯でかはわからないが、刑事が彼に照準を合わせつつあるのは紛れもない事実だ。ならば、対応を考える必要がある。

「そこにお嬢さんはいますか」彼は訊いた。

「美里ですか。いますけど」

「ちょっと代わっていただけますか」

「あ、はい」

石神は目を閉じた。草薙刑事たちはどのようなことを企み、行動しているのか、次に何をしてくるか——精神を集中して彼は思考した。だがその途中で湯川学の顔が浮かんだ時、彼は少し動揺した。あの物理学者は何を考えているのか。

はい、という若い娘の声が耳に届いた。美里に代わったようだ。

石神です、と断ってから彼は続けた。

「十二日に映画の話をした相手はミカちゃんだったね」

「はい。そのことは刑事さんに話しましたけど」

「うん、それは前に聞いたよ。で、もう一人の友達のことだけど、ハルカちゃんといったかな」

「そうです。タマオカハルカちゃんです」

「その子とは、あれから映画の話はしたかい」

「いえ、あの時だけだと思います。もしかしたら、ちょっとしたかもしれないけど」

「彼女のことは刑事には話してないね」

「話してません。ミカのことだけです。だって、まだハルカのことは話さないほうがいいって石神さんが」

「うん、そうだったね。でも、いよいよ話してもらうことになった」

石神は周囲を気にしながら、花岡美里に細々と指示を与え始めた。


テニスコートの横の空き地から、灰色の煙が立ち上っていた。近づいてみると、白衣姿の湯川が袖まくりをして、一斗缶の中を棒でつついている。煙はその中から出ているようだった。

土を踏む足音で気づいたらしく、湯川が振り向いた。

「君はまるで僕のストーカーのようだな」

「怪しい人間に対しては、刑事はストーカーになるんだよ」

「へええ、僕が怪しいというわけか」湯川は面白そうに目を細めた。「久々に君にしては大胆な発想が生まれたようだな。そういう柔軟さがあれば、もっと出世するだろうさ」

「どうして俺がおまえのことを怪しいと思うのか、その理由を訊かないのか」

「訊く必要がない。いつの世も科学者というのは、人から怪しく思われる存在だからね」なおも一斗缶の中をつついている。

「何を燃やしてるんだ」

「大したものじゃない。不要になったレポートとか資料だ。シュレッダーは信用できないからね」湯川はそばに置いてあったバケツを持ち、中の水を缶に注いだ。しゅーっという音と共に、さらに濃く白い煙が上がった。

「おまえに話がある。刑事として質問させてもらう」

「やけに力んでるな」一斗缶の中の火が消えたことを確認したらしく、湯川はバケツを提げたまま歩きだした。

彼の後を草薙は追った。

「昨日、あれから『べんてん亭』に行った。あの店でじつに興味深い話を聞いた。知りたくないか」

「別に」

「じゃあ勝手にしゃべらせてもらう。おまえの親友の石神は、花岡靖子に惚れている」

大股で歩いていた湯川の足が止まった。振り返った彼の眼光は鋭くなっていた。

「弁当屋の人間がそういっているのか」

「まあね。おまえと話しているうちにぴんとくることがあって、『べんてん亭』で確認を取ったというわけだ。論理も大事かもしれないが、直感も刑事には大きな武器だ」

「それで？」湯川が向き直った。「彼が花岡靖子に惚れているとして、そのことが君たちの捜査にどういう影響を与えるのかな」

「この期《ご》に及んで、そんなふうにとぼけるなよ。おまえだって、どういうきっかけで勘づいたのかは知らんが、石神が花岡靖子の共犯者じゃないかと疑っているからこそ、俺に隠れてこそこそと動き回っているんだろうが」

「こそこそした覚えはないがね」

「とにかく、俺のほうには石神を疑う理由が見つかった。これからは奴を徹底的にマークする。そこで、だ。昨日は袂を分かつことになってしまったが、和平条約を結ばないか。つまり、こちらから情報を提供する代わりに、おまえが摑んでいることも教えてほしい。どうだ。悪くない提案だろ」

「君は僕を買い被っている。僕はまだ何も摑んじゃいない。ただ想像を巡らせているだけだ」

「だったら、その想像を聞かせてほしい」草薙は親友の目をじっと覗き込んだ。

湯川は目をそらし、そのまま歩きだした。「とりあえず研究室に行こう」

第十三研究室の奇妙な焦げ跡のついた机の前に草薙は座った。湯川が二つのマグカップをその上に置いた。相変わらず、どちらのカップも奇麗とはいいがたかった。

「石神が共犯だとして、彼の役割は一体どういうものだろう？」早速湯川が質問してきた。

「俺から話すのか」

「和平は君から提案してきたんだぜ」湯川は椅子にかけ、悠然とインスタントコーヒーを啜った。

「まあいいだろう。まだうちのボスには石神のことを話してないから、これは全部俺の推理だが、もし殺害現場が別のところだったとしたら、死体を運んだのは石神だ」

「ほう、君は死体運搬説には否定的だったじゃないか」

「共犯者がいるなら話は別だといったぜ。だけど主犯、つまり実際に手を下したのは花岡靖子だ。もしかしたら石神も手伝ったかもしれないが、彼女がその場にいて、犯行に加わったのは間違いない」

「断定的だな」

「実際に手を下したのも、死体を処理したのも石神だとすると、それはもはや共犯じゃない。奴が主犯、さらにいうと奴の単独犯ということになる。いくら惚れているとはいえ、そこまでやるとは思えない。靖子に裏切られたらおしまいだからな。彼女にも、何らかのリスクは負わせたはずだ」

「じゃあ、殺したのは石神一人で、死体の処理を二人でやったとは考えられないか」

「可能性がゼロとはいわないが、低いと思う。花岡靖子の映画館でのアリバイは曖昧だが、その後のアリバイは比較的しっかりしている。たぶん時間を決めて行動したんだろう。となると、どれだけの時間を要するかわからない死体処理に彼女が加わったとは考えにくい」

「花岡靖子のアリバイが確定していないのは……」

「映画を見ていたという七時から九時十分の間だ。その後に入ったラーメン屋とカラオケボックスでは確認がとれた。ただ、一旦映画館に入ったのは間違いないと思う。映画館で保管されていたチケットの半券の中から、花岡母娘の指紋のついたものが見つかった」

「すると君は、その二時間十分の間に、靖子と石神によって殺害が行われたと考えているわけだ」

「死体遺棄も行われたかもしれないが、時間的に見て、靖子は石神よりも先に現場を立ち去った可能性が高い」

「殺害現場はどこだ？」

「それはわからない。どこにせよ、靖子が富樫を呼び出したのだろう」

湯川は無言でマグカップを傾けた。眉間に皺が刻まれている。納得している顔ではなかった。

「何かいいたそうだな」

「いや、別に」

「いいたいことがあるなら、はっきりいえよ。俺の意見はいったんだから、今度はおまえが話す番だ」

草薙がいうと、湯川はため息をついた。

「車は使われていない」

「えっ？」

「石神は車を使っていないはずだといったんだ。死体を運ぶには車が必要だろ？　彼は車を持っていないから、どこかで調達してこなきゃならない。証拠の残らない車を、痕跡の残らない方法で調達する手段を、彼が持っているとは思えない。ふつうそんなものは、一般人の誰も持っていない」

「レンタカー屋を虱潰しに当たるつもりだ」

「御苦労様。絶対に見つからないことを保証する」

この野郎、という思いで草薙は睨みつけたが、湯川は素知らぬ顔だ。

「もし殺害現場が別なら、死体運搬役は石神だろうといっただけだ。死体の見つかった場所が犯行現場だっていう可能性も十分あるさ。何しろ二人がかりだから、何でもできる」

「二人がかりで富樫を殺し、死体の顔を潰して指紋を焼き、服も脱がせて焼き、そうして二人して徒歩で現場を立ち去ったというわけか」

「だから時間差はあったかもしれない。とにかく靖子は映画が終わるまでに戻らなきゃいけないからな」

「君の説によれば、現場に残っていた自転車は、やはり被害者自身が乗ってきたもの、ということになるな」

「まあそうだな」

「で、それについた指紋を石神は、消し忘れたということになる。あの石神がそんな初歩的なミスを犯したのか。ダルマの石神が」

「どんな天才だって、ミスはするさ」

だが湯川はゆっくりとかぶりを振った。「あいつはそんなことはしない」

「じゃあ、どういう理由で指紋を消さなかったというんだ」

「それをずっと考えている」湯川は腕組みをした。「まだ結論は出ない」

「考えすぎじゃないのか。あいつは数学の天才かもしれんが、殺人には素人のはずだぜ」

「同じことさ」湯川は平然といった。「殺人のほうが彼にはやさしいはずだ」

草薙はゆっくりと頭を振り、薄汚れたマグカップを持ち上げた。

「とにかく石神をマークしてみる。男の共犯がいたという前提が可能なら、捜査する内容も広がってくる」

「君の説によれば、犯行はずいぶんと杜撰《ずさん》に行われたことになる。事実、自転車の指紋の消し忘れ、被害者の衣服の燃え残しなど、手抜かりがずいぶんと散見される。そこで一つ質問したいんだが、犯行は計画的に行われたことだろうか。それとも、何らかの事情で、突発的に行われたのだろうか」

「それは――」草薙は、何かを観察するような湯川の顔を見返して続けた。「突発的なものだったのかもしれないな。たとえば靖子は、何らかの話し合いをする目的で富樫を呼び出した。石神はいわば彼女のボディガードとして同席した。ところが話がこじれて、結果的に二人は富樫を殺すことになってしまった――そんなところじゃないか」

「その場合、映画館の話と矛盾するぜ」湯川はいった。「ただ話し合いをするためだけなら、アリバイを用意しておく必要がない。たとえ不十分なアリバイにせよ、な」

「じゃあ、計画的犯行だというのか。最初から殺すつもりで靖子と石神は待ち伏せしていたと」

「それも考えにくい」

「なんだよ、それ」草薙はげんなりした顔を作った。

「あの石神が計画を立てたのなら、そんな脆《もろ》いものになるわけがない。そんな穴だらけの計画を立てるわけがない」

「そんなことをいったって——」そういった時、草薙の携帯電話が鳴った。「失礼」といって彼は電話に出た。

相手は岸谷だった。彼からの情報は重大なものだった。質問しながら草薙はメモを取った。

「面白い話が飛び込んできたぜ」電話を切った後、草薙は湯川にいった。「靖子には娘がいて、美里というんだが、その娘のクラスメートから興味深い証言がとれたらしい」

「なんだ？」

「事件当日の昼間、そのクラスメートは美里から、夜に母親と映画に行くという話を聞いたらしい」

「本当か」

「岸谷が確認した。間違いないようだ。つまり靖子たちは、映画館に行くことを昼間の時点で決めていたということになる」草薙は物理学者に向かって頷きかけた。「計画的犯行、と考えて間違いないんじゃないか」

だが湯川は真剣な眼差しのまま首を振った。

「ありえない」重い口調でいった。

13

錦糸町駅から歩いて五分ほどのところに『まりあん』はあった。飲み屋が何軒か入っているビルの五階だ。建物は古く、エレベータも旧式だった。

草薙は腕時計を見た。午後七時を回ったところだ。まだ客はさほど来ていないだろうと見当をつけた。じっくりと話を聞くからには、忙しい時間帯は避けたい。もっとも、こんなところにある店がどの程度に混むかはわからないが、と錆の浮き出たエレベータの壁を見ながら彼は思った。

だが『まりあん』に入ってみて驚いた。二十以上あるテーブルの三分の一ほどが埋まっていたからだ。服装を見るとサラリーマンが多いようだが、職業不明の人種の姿もある。

「以前、銀座のクラブに聞き込みに行ったことがあるんですが」岸谷が草薙の耳元で囁いた。「バブル時代に毎晩通ってた連中は、今はどこで飲んでるんだろうって、そこのママがいってました。こんなところに流れてたんですね」

「それは違うと思うぜ」草薙はいった。「一度贅沢をした人間は、なかなか物事の水準を落とせないもんだ。ここにいる人種は、銀座族とは別だよ」

黒服を呼び、責任者から話を聞きたいのだが、といってみた。若い黒服は愛想笑いを消して、奥に消えた。

やがて別の黒服が来て、草薙たちはカウンター席に案内された。

「何かお飲みになりますか」黒服は訊いてきた。

「ビールをもらおうかな」草薙は答えた。

「いいんですか」黒服が去ってから、岸谷が訊いてきた。「勤務中ですよ」

「何も飲んでないんじゃ、ほかの客が変に思うだろ」

「ウーロン茶でもいいじゃないですか」

「ウーロン茶を飲みに、大の男二人がこんな店に来るかよ」

そんなことを話していると、シルバーグレーのスーツを着た、四十歳ぐらいの女が現れた。化粧が濃く、髪をアップにしていた。痩せているが、なかなかの美人だ。

「いらっしゃいませ。何か御用がおありだとか」抑えた声で尋ねてきた。唇には笑みが滲んでいる。

「警視庁から来ました」草薙も低い声を出した。

横で岸谷が上着の内ポケットに手を突っ込んだ。草薙はそれを制してから、改めて相手の女性を見た。「証明するものをお見せしたほうがいいですか」

「いえ、結構」彼女は草薙の横に腰かけた。同時に名刺を置いた。『杉村園子』と印刷されていた。

「こちらのママさんですね」

「一応そういうことになっています」杉村園子は微笑んで頷いた。雇われの身であることを隠す気はなさそうだった。

「なかなか盛況ですね」草薙は店内を見回していった。

「見かけだけですよ。この店は社長が税金対策でやってるようなものなんです。来ているお客さんたちだって、社長と繋がりのある人ばっかり」

「そうなんですか」

「この店なんて、いつどうなるかわかったものじゃありませんよ。お弁当屋さんを選んだ小代子さんは正解だったのかも」

気弱なことをいっているが、前任者の名前をさらりと出すところに、彼女なりのプライドが込められているように草薙は感じた。

「先日も何度か、うちの刑事がお邪魔したと思うんですが」

彼の言葉に彼女は頷いた。

「富樫さんのことで、何度かいらっしゃいました。大抵は私がお相手をしています。今日もやっぱりそのことで?」

「すみません、しつこくて」

「前にいらした刑事さんにもいいましたけど、靖子さんを疑ってるんでしたら、見当違いだと思いますよ。だって、彼女には動機なんてないでしょ」

「いや、疑ってるというほどでは」草薙は笑顔を作り、手を振った。「捜査がなかなか進まないものですから、一から考え直そうということになったんです。それで、こうして伺ったわけでして」

「一からねえ」杉村園子は小さく吐息をついた。

「富樫慎二さんは三月五日に来ているそうですね」

「そうです。久しぶりだったし、何より、あの人が今さらここへ来るとは思わなかったから、びっくりしちゃいました」

「あなたは面識があったんですか」

「二度ほど。私も以前は赤坂で、靖子さんと同じ店で働いていたんです。その頃、会いました。当時はあの人も羽振りがよくて、ぱりっとした格好をしていたんだけど……」

久しぶりに会った富樫からは、その面影は感じられなかった、という口調だ。

「富樫慎二さんは、花岡さんの居場所を知りたがっていたそうですね」

「よりを戻したがっているんだなって思いました。でも、私は教えなかったんですよ。靖子さんがあの人に苦労をかけられてたってことは、よく知ってましたから。だけどあの人、ほかの女の子たちにも訊いて回ったんです。私、今いる女の子の中には靖子さんのことを知っている者はいないと思って油断していたんですけど、一人だけ、小代子さんの弁当屋さんに行ったことがあるって子がいたんです。その子が、そこで靖子さんが働いていることも富樫さんにしゃべっちゃったみたいで」

「なるほど」草薙は頷いた。人脈を頼りに生きていこうとすると、行方を完全にわからなくすることなど不可能に近いのだ。

「工藤邦明という人は、ここによく来ますか」彼は質問を変えた。

「工藤さん？　印刷会社の？」

「ええ」

「よくお見えになりますよ。あっ、でも、最近はあまりいらっしゃらないかな」杉村園子は首を傾げた。「工藤さんが何か？」

「花岡靖子さんがホステス時代、彼女を贔屓《ひいき》にしていたと聞いているんですが」

杉村園子は口元を緩めて頷いた。

「そうですね。彼女、ずいぶんとかわいがってもらったみたいです」

「二人は付き合ってたんでしょうか」

草薙が訊くと、彼女は首を曲げ、うーんと唸った。

「そういうふうに疑っていた者もいましたけど、たぶんそれはなかったと私は見ています」

「といいますと？」

「靖子さんが赤坂にいた頃は、一番二人の仲が接近していたと思うんです。でもちょうどその頃、靖子さんが富樫さんのことで悩んでて、どうやら工藤さんもそのことを知っちゃったみたいなんですよ。で、それからは工藤さんは靖子さんの相談役のような形になって、何となく男女の関係にまではならなかったようなんです」

「でも花岡さんは離婚したんだから、その後なら付き合うこともできたでしょう」

しかし杉村園子は首を振った。

「工藤さんはそういう人じゃないんです。靖子さんが旦那さんとうまくいくようにいろいろと相談に乗っておきながら、離婚したら付き合ったっていうんじゃ、元々それが目的みたいに思われちゃうでしょ。だから彼女が離婚した後も、いい友達みたいな関係を続けていこうと思ってたみたいですよ。それに、工藤さんも奥さんがいますしね」

杉村園子は彼の妻が亡くなっていることは知らないようだ。わざわざ教える必要もないと思い、草薙は黙っていることにした。

彼女のいっていることはおそらく当たっているだろう、と彼は思った。男女の関係に関して、ホステスたちの勘の鋭さは刑事のそれをはるかに凌駕《りょうが》する。

工藤はやはりシロだな、と草薙は確信した。となれば、次の用件に移ったほうがいい。

彼はポケットから一枚の写真を出し、杉村園子に見せた。

「この男性を知りませんか」

それは石神哲哉の写真だった。学校から出てくるところを岸谷が隠し撮りしたものだ。斜め方向から撮影したもので、本人は気づいておらず、どこか遠くに視線を向けている。

杉村園子は怪訝そうな顔をした。

「誰ですか、この人?」

「御存じないわけですね」

「知りません。少なくとも、うちに来るお客ではないです」

「石神という人なんですよ」

「イシガミさん……」

「花岡さんから、その名前を聞いたことがないですか」

「ごめんなさい。覚えがないです」

「この人は高校で教師をしているんですよ。花岡靖子さんの口から、何かそれに関係した話題が出たことはないですか」

「さあ」杉村園子は首を捻った。「彼女とは今でも時々電話で話をしますけど、そんな話を聞いたことはないです」

「じゃあ、靖子さんの男性関係についてはどうですか。何か相談されたとか、報告を受けたとかってことはないんですか」

草薙の質問に、杉村園子は苦笑を漏らした。

「そのことについては前に来た別の刑事さんにも話しましたけど、彼女からは何も聞いてません。もしかしたら付き合っている人がいて、私には隠してたのかもしれないけど、たぶんそうじゃないと思いますよ。靖子さんは、美里ちゃんを育てることで精一杯で、色恋に走ってる余裕なんてないんじゃないでしょうか。前に小代子さんもそんなことをいってたし」

草薙は黙って頷いた。石神と靖子の関係について、この店で何か大きな収穫を得られるとは元々あまり期待していなかったから、さほど落胆はしていない。しかし、靖子に特定の男性の影がなかったと断言されるのを聞くと、石神が靖子の共犯ではないかという推理にはやはり自信が持てなくなった。

新たな客が入ってきた。杉村園子はそちらのほうをちょっと気にする素振りを見せた。

「花岡さんとは、よく電話で話をしているとおっしゃいましたね。最近では、いつ頃話をされましたか」

「富樫さんのことがニュースになった日だと思います。びっくりして電話をかけたんです。そのことは前に来た刑事さんにも話しましたけど」

「花岡さんの様子はどうでしたか」

「特に変わったところはなかったですよ。もうすでに警察の人が来たっていってました」

その警察の人というのは自分たちだ、とは草薙はいわなかった。

「富樫さんが花岡さんの行方を調べにこの店に来たことについて、あなたは彼女に話してなかったのですか」

「話してませんでした。というより、話せなかったんです。彼女を不安にさせたくなかったし」

すると花岡靖子としては、富樫が自分を探していることを知り得なかったことになる。つまり彼が訪ねてくることも予想できなかったわけで、当然、殺害計画を練る余裕もないことになる。

「話そうかとも思ったんですけど、その時は彼女のほうが楽しそうにいろいろとしゃべるものだから、いいだすきっかけを失ったというのもあるんですけど」

「その時は?」杉村園子の言葉に、草薙は引っかかりを覚えた。「その時って、いつのことですか。一番最近に話をした時……ではなさそうですね」

「ああ、ごめんなさい。それは、その前の時。富樫さんがうちに現れて、三日か四日後だったと思います。彼女のほうから留守電が入っていたので、私からかけたんです」

「それは何日のことですか」

「何日だったかなあ」杉村園子はスーツのポケットから携帯電話を出してきた。着信や発信の履歴を調べるのかと草薙は思ったが、彼女はカレンダーを画面に表示させた。それを見てから顔を上げた。「三月十日ですね」

「えっ、十日？」草薙は声を上げ、岸谷と顔を見合わせていた。「たしかですか」

「ええ、間違いないと思いますけど」

十日といえば、富樫慎二が殺されたとみられている日だ。

「何時頃ですか」

「そうですねえ、私が自宅に帰ってからかけたから、たぶん午前一時前後だったと思いますけど。彼女は十二時前に電話をくれたようですけど、まだ店が終わってなかったので、出られなかったんです」

「どのぐらい話しておられましたか」

「あの時は、たぶん三十分ぐらいだったんじゃないでしょうか。いつもそれぐらいです」

「あなたのほうからかけたんですね。彼女の携帯電話に」

「いえ、ケータイじゃなかったです。家の電話にかけたんです」

「あの、細かいことをいうようですが、するとそれは十日ではなく、十一日の午前一時頃という意味ですね」

「ああ、そういうことですね。正確にいうと」

「花岡さんの留守電が入っていたということですが、どういった内容だったんですか。差し支えがなければ、教えていただきたいんですが」

「だからそれは、用があるから、お店が終わったら電話がほしいというものでした」

「で、その用件というのは？」

「大した内容ではなかったですよ。以前、私が腰痛の治療で通っていた指圧治療院を教えてほしいというようなことで……」

「指圧ねえ……。その程度の用件で彼女から電話がかかってくることは、これまでにもあったんですか」

「用件なんて、いつも大したものじゃないんです。ただおしゃべりがしたいだけです。私にしても、彼女にしても」

「そんな夜中に話すのも、いつものことなんですか」

「珍しくはないですよ。私がこんな仕事をしているから、どうしても夜中になってしまうし。まあ、ふつうはなるべく休日を選ぶんですけど、あの時は彼女のほうから連絡があったわけですから」

草薙は頷いた。しかし釈然としない思いが消えたわけではなかった。

店を出て、錦糸町駅に向かいながら、草薙は考えを巡らせた。杉村園子の最後の話が気にかかっていた。三月十日の夜中に、花岡靖子は電話で話している。しかも自宅の電話に出たという。つまり、その時刻に彼女は自宅にいたということだ。

じつは、犯行時刻は三月十日の午後十一時以降ではないか、という意見も捜査本部内にはあった。これは無論、花岡靖子を犯人と仮定して作り上げた説だ。カラオケボックスにいたというアリバイまでが本当だとしても、その後に犯行は可能ではないか、というのだった。

だが強力にこの意見を推す者はいない。というのは、もしカラオケボックスを出てからすぐに現場に駆けつけたとしても、到着するのは十二時近くになってしまうからだ。その後、犯行に及んだとしても、今度は自宅に戻る交通手段がない。通常そうした犯人は、そんな時に痕跡の残るタクシーを使ったりしない。しかも現場付近は、めったにタクシーが通らないのだ。

さらに例の自転車が盗まれた時刻が絡んでくる。盗まれたのは午後十時以前だ。もし偽装工作だとしたら、靖子はそれまでに篠崎駅に行っていたことになる。偽装工作でなく、実際に富樫が盗んだのだとしたら、自転車を盗んでから、靖子と会う十二時近くまで、彼はどこで何をしていたのかという疑問が残る。

以上の事情から、これまで深夜のアリバイについて、草薙たちも積極的に調べてこなかった。ところがもし調べていたとしても、花岡靖子にはアリバイがあったことになる。そのことが引っかかっていた。

「なあ、俺たちが最初に花岡靖子に会った時のことを覚えてるか」歩きながら草薙は岸谷に訊いた。

「覚えてますが、それが何か？」

「俺、アリバイをどんなふうに訊いたかな。三月十日はどこにいたか——そんなふうに訊いたのかな」

「細かいことはよく覚えていませんが、たぶんそんな感じだったと思います」

「そうすると彼女は答えたんだ。朝から仕事で、夜は娘と出かけた。映画を見に行って、その後はラーメンを食べて、カラオケボックスに行った。家に帰ったのは十一時過ぎだと思う――たしかそうだったよな」

「間違いないと思いますが」

「さっきのママの話では、その後靖子は電話をかけているわけだ。しかも大した用でもないのに、電話をくれとメッセージまで残している。ママが電話をかけたのが一時過ぎで、その後三十分ほど話している」

「それがどうかしたんですか」

「あの時――俺がアリバイを尋ねた時、どうして靖子はそのことをいわなかったんだろう」

「どうしてって……だっていう必要がないと思ったからじゃないんですか」

「なぜだ」草薙は足を止め、後輩刑事のほうを向いた。「自宅の電話を使って第三者と話したというのは、自宅にいたことの証明になるぜ」

岸谷も立ち止まった。口を尖らせている。

「それはそうですが、花岡靖子にしてみれば、外出先のことを話せば、それで十分だと考えたんでしょう。もし草薙さんが、家に帰ってからのことまで質問していたら、電話のことを話したんじゃないんですか」

「本当にそれだけが理由かな」

「ほかに何が考えられるんですか。アリバイがないことを隠していたならともかく、アリバイがあることを黙っていたんですよ。そのことに拘《こだわ》るほうがおかしいんじゃないかなあ」

不満そうな顔の岸谷から目をそらし、草薙は歩きだした。この後輩刑事は、最初から花岡母娘に同情的だ。客観的な意見を求めるのは無理かもしれないと思った。

草薙の頭の中では、今日の昼間に湯川と交わした会話の内容が蘇っていた。あの物理学者は、もし事件に石神が関わっているなら殺害が計画的なものだとは思えない、という主張を曲げようとしなかった。

「彼が計画したのなら、アリバイ工作に映画館を使うようなことはしない」湯川はまずその点を上げた。「君たちが疑うように、映画館に行っていたという供述には説得性がないからだ。石神がそのことを考えないはずがない。さらに、もっと大きな疑問がある。石神には、花岡靖子に協力して富樫を殺害する理由がない。もし彼女が富樫によって苦しめられていたとしても、彼ならば別の解決策を考案する。殺人などという方法は絶対に選ばない」

石神はそれほど残酷な人間ではない、という意味かと草薙は訊いた。湯川は冷静な目をしてかぶりを振った。

「感情の問題ではない。殺人によって苦痛から逃れようとするのは合理的ではないからだ。なぜなら殺人を犯すことによって、またさらに別の苦痛を抱え込むことになる。石神はそんな愚かなことはしない。逆に、論理的でありさえすれば、どんな残酷なことでも成し遂げられる人間だ」

では湯川は、石神はどういった形で事件に関与していると考えているのか。それについての彼の答えは次のようなものだった。

「もし彼が関わったのだとしたら、殺人そのものには手を出せない状況だった、ということしか考えられない。つまり彼が事態を把握した時点で、すでに殺人は完了していたわけだ。そこから彼にできたことは何か。事件の隠蔽が可能なら、それをしただろう。不可能なら、捜査陣の追及を逃れるためのあらゆる方策を練る。花岡靖子たちにも指示を与える。刑事の質問にどのように答え、どのタイミングでどんな証拠を出すか、などね」

要するに、これまで花岡靖子や美里が草薙たちに行ってきた供述のすべては、彼女たちの意思によるものでなく、石神が後ろで糸を引くことによって成されたものだ、というのが湯川の推理だった。

しかし物理学者は、そこまで断言した後で、静かにこうも付け加えた。

「もちろん、これらはすべて僕の推理にすぎない。石神が関与しているという前提で組み立てたものだから、その前提そのものが間違っている可能性だってある。いや僕としては、是非とも間違っていてほしい、自分の思いすごしであってほしいと願っているんだ。心の底からね」そんなふうにいった時の彼の表情は、珍しく苦しげで、寂しそうでもあった。せっかく出会えた旧友を再び失ってしまう――そのことに怯えているようにすら見えた。

湯川がなぜ石神に疑いを抱くようになったのか、それについて湯川はとうとう草薙に話そうとしなかった。どうやら石神が靖子に好意を持っていることを見抜いたのがきっかけのようだが、どういう根拠で見抜けたかについては、決して語ろうとしないのだ。

だが草薙は湯川の観察力と推理力を信頼している。彼がそんな考えを持ったかぎりは、まず的はずれということはありえないとさえ思っている。そう考えてみると、『まりあん』で聞いた話にさえも、頷けるところが見えてくるのだ。

三月十日の深夜のアリバイについて、なぜ靖子は草薙に話さなかったのか。もし彼女が犯人で、警察に疑われた時のために用意しておいたアリバイなら、すぐにでも話しておきたいところだ。そうしなかったのは、石神の指示があったからではないか。そしてその指示とは大まかにいうと、「必要最低限のことしかしゃべらないこと」ではなかったか。

草薙は、まだ湯川が今ほど今度の事件に関心を持っていなかった頃に、彼が何気なく口にした言葉を思い出していた。花岡靖子が映画館のチケットの半券をパンフレットの間から出してきたという話をした時、彼はこういったのだ。

「ふつうの人間なら、アリバイ工作に用意した半券の保管場所にまで気を配らない。刑事が来た時のことを考えてパンフレットに挟んでおいたのだとしたら、相当な強敵だぞ」

六時を少し回り、靖子がエプロンを外そうとした時、一人の客が入ってきた。いらっしゃいませ、と条件反射で愛想笑いを浮かべたが、相手の顔を見て当惑した。知っている顔だ。だがよくは知らない。わかっているのは、石神の古い友人ということだけだ。

「僕のことを覚えていてくださいましたか」相手は訊いてきた。「以前、石神に連れてきてもらったのですが」

「あ、ええ、覚えていますよ」彼女は笑顔を取り戻した。

「近くまで来たものですから、ここの弁当を思い出しましてね。あの時の弁当は、大変おいしかった」

「それはよかったです」

「今日は……そうだな、おまかせ弁当にしようかな。石神がいつも買っているそうだけど、前回は売り切れてたんだった。今日はどうですか」

「大丈夫ですよ」靖子は奥に注文を伝えてから、改めてエプロンを外した。

「あれっ？　もうお帰りですか」

「ええ。六時までなんです」

「そうでしたか。これからアパートにお帰りになるんですね」

「はい」

「じゃあ、そのへんまで御一緒させていただいてよろしいでしょうか。少しお話ししたいことが」

「あたしに、ですか」

「ええ。相談、といったほうがいいかな。石神のことでちょっと」男は意味ありげに笑いかけてきた。

靖子はわけもなく不安になった。

「でもあたし、石神さんのことは殆ど何も知らないんですけど」

「お時間はとらせませんよ。歩きながらで結構なんです」口調は柔らかだが、強引な物言いをする男だった。

「じゃあ、少しだけ」彼女は仕方なくそういった。

男は湯川と名乗った。石神の出身大学で、現在は助教授をしているという。彼の弁当が出来上がってくるのを待って、二人で店を出た。

靖子はいつものように自転車で来ている。それを押しながら歩きだそうとすると、「それは僕が」といって、湯川が代わってくれた。

「石神とゆっくり話をされたことはないんですか」湯川は訊いてきた。

「ええ。お店にいらした時に御挨拶する程度で」

そうですか、と彼はいい、そのまま黙った。

「あの……それで、相談というのは？」彼女はたまらずに訊いてみた。

しかし湯川は相変わらず何もいわない。不安が靖子の胸でさらに広がった頃、ようやく彼は口を開いた。「あいつは純粋な男です」

「えっ？」

「純粋なんですよ。石神という男はね。彼の求める解答は、常にシンプルです。いくつかのものを同時に求めたりしない。そこに到達するために選ぶ手段もまたシンプルです。だから迷いがない。少々のことでぐらついたりもしない。でもそれは、生き方があまり上手くないということでもあります。得られるものはすべてかゼロか。いつもそういう危険と隣り合わせだ」

「あのう、湯川さん……」

「失礼。これじゃあ、何をいいたいのかわかりませんよね」湯川は苦笑した。「石神と初めてお会いになったのは、今のアパートに越してこられた時ですか」

「ええ、御挨拶に伺いました」

「その時に、今の弁当屋さんで働いていることもお話しになったんですね」

「そうですけど」

「彼が『べんてん亭』に通い始めたのも、その時からですね」

「それは……そうかもしれません」

「その頃、彼との数少ないやりとりの中で、何か印象に残っていることはありませんか。どんなことでも結構ですが」

靖子は困惑した。思ってもみない質問だった。

「どうしてそんなことをお訊きになるんですか」

「それは」湯川は歩きながら彼女を見つめてきた。「彼が僕の友人だからです。大事な友人だから、何があったのかを知っておきたいんです」

「でもあたしとのやりとりなんて、大したことじゃあ――」

「彼にとっては重要だったはずです」湯川はいった。「とても大切なことだったんです。そのことはあなたにもわかるはずです」

真剣な眼差しを見て、靖子はなぜか鳥肌が立つのを覚えた。この男は、石神が彼女に好意を寄せていることを知っているのだと悟った。だから、何がきっかけでそうなったのかを知りたがっているのだ。

そういえば、そのことについて一度も考えたことがなかったことに靖子自身が気づいた。しかし一目惚れされるほどの美貌でないことは彼女が一番よくわかっている。

靖子は首を振っていた。

「特に何も思いつきません。ほんとにあたし、石神さんとは殆ど話をしたことがなくて」

「そうですか。案外、そういうものなのかもしれないな」湯川の口調が幾分柔らかいものになった。「あなたは彼をどう思いますか」

「えっ……」

「彼の気持ちに気づいていないわけではないでしょう？　そのことについて、どう思っておられるんですか」

唐突な質問に彼女は困惑した。笑ってごまかせる雰囲気ではなかった。

「あたしのほうは特に何とも……いい人だとは思いますけど。頭もとてもよくて」

「頭がよくて、いい人、だということは御存じなんですね」湯川は足を止めた。

「それは、あの、何となくそんなふうに思っただけです」

「わかりました。お時間をとらせて申し訳ありませんでした」湯川は自転車のハンドルを差し出してきた。「石神によろしく」

「あ、でも、石神さんに会うかどうかは――」
だが湯川は笑顔で頷くと、くるりと踵を返した。歩き始めた彼の背中に、靖子はいいようのない威圧感を覚えた。

14

不機嫌そうな顔が並んでいた。不機嫌を通り越して苦痛の表情を浮かべている者もいる。それすらも越えてしまった者は、お手上げとばかりに諦め顔だ。森岡にいたっては、試験開始から問題用紙を見ようともせず、頬杖をついて窓の外ばかり眺めている。今日は快晴で、町並みの彼方まで青空が広がっている。こんなくだらないことで時間を奪われなければ、思う存分バイクで走り回れるのに、と悔しがっているのかもしれない。

学校は春休みに入っていた。しかし一部の生徒たちには憂鬱な試練が用意されていた。期末試験後に行われた追試験でも合格ラインに達しなかった者が多すぎて、急遽補習授業が行われることになったのだ。石神が受け持っているクラスで補習を受けねばならないのは、ちょうど三十人だった。これは他の科目に比べて異常に多い数字だ。そして補習後に、もう一度試験をする。その再追試の日が今日だった。

試験問題を作っている時、石神は教頭から、あまり問題を難しくしないよう釘を刺されていた。

「こういう言い方はしたくないんだけど、はっきりいって形だけのことだからね。赤点のままで進級させるわけにはいかないってだけのことだから。石神先生だって、もうこんな面倒なことはしたくないでしょ。そもそも石神先生の問題は難しすぎるって前からいわれてるんだ。だから再追試のほうは、全員がすぱっと合格できるように、まあよろしく頼みますよ」

石神としては、自分の作る問題が難しいとは思わなかった。むしろシンプルだと思っている。授業で教えたことから逸脱していないし、基本的なことさえ理解していれば、すぐに解けるはずだった。ただ、少しだけ目先を変えてある。その変え方が、参考書や問題集によくある問題とはひと味違う。だから解法の手順を覚えているだけの生徒は戸惑う。

しかし今回は教頭の指示に従った。出来合の問題集から、代表的な問題を流用した。ふつうに訓練していれば解ける程度の問題だ。

森岡が大欠伸をし、時計を見た。石神が見ていると目が合った。気まずそうにするかと思ったが、森岡は大袈裟に顔をしかめ、両手で×を作った。とても解けない、といいたいようだ。

そんな彼に石神は、にやりと笑ってみせた。すると森岡は少し驚いた顔をした後、同様ににやりと笑い、また窓の外を眺め始めた。

微分積分なんて一体何の役に立つんだよ——以前、森岡が発した質問を石神は思い出した。オートレースを例に出して、その必要性を説明したが、果たして理解できたかどうかは怪しい。

だがあんな質問をしてきた森岡の姿勢が、石神は嫌いではなかった。なぜこんな勉強をするのか、という疑問を持つのは当然のことだ。その疑問が解消されるところから、学問に取り組む目的が生まれる。数学の本質を理解する道にも繋がる。

ところが彼等の素朴な疑問に答えようとしない教師が多すぎる。いや、たぶん答えられないのだろうと石神は考えていた。本当の意味で数学を理解しておらず、決められたカリキュラムに従って教え、生徒に一定の点数を取らせることしか考えていないのだから、森岡が投げかけたような質問は、ただ煩《わずら》わしいだけなのだ。

こんなところで自分は何をしているのだろう、と石神は思った。数学の本質とは無縁な、単に点数を稼がせるための試験を受けさせている。その採点をすることにも、それによって合否を決めることにも、何の意味もない。こんなものは数学ではない。もちろん教育でもない。

石神は立ち上がった。深呼吸をひとつした。

「全員、問題を解くのはそこまででいい」教室を見回して彼はいった。「残りの時間は、答案用紙の裏に、今の自分の考えを書くように」

生徒たちの顔に戸惑いの色が浮かんだ。教室内がざわついた。自分の考えって何だよ、という呟きが聞こえた。

「数学に対する自分の気持ちだ。数学に関することなら何を書いてもいい」さらに彼は付け加えた。「その内容も採点の対象とする」

途端に生徒たちの顔がぱっと明るくなった。

「点数くれるの？　何点？」男子生徒が訊いた。

「それは出来次第だ。問題のほうがお手上げなら、そっちでがんばるんだな」そういって石神は椅子に座り直した。

全員が答案用紙をひっくり返した。早速、何やら書き始めた者もいる。森岡もその一人だ。これで全員合格にできる、と石神は思った。白紙答案では点の与えようがないが、何か書いてくれれば適当に点数をつけられる。教頭は何かいうかもしれないが、不合格者を出さないという方針には賛成してくれるはずだった。

チャイムが鳴り、試験時間は終了になった。それでも何人かが、「もうちょっとだけ」といったので、石神は五分だけ時間を与えた。

答案用紙を回収し、教室を出た。戸を閉めた途端、生徒たちが大声で話し始めるのが聞こえた。助かった、という声もあった。

職員室に戻ると、男性事務員が待っていた。

「石神先生、お客さんが見えてるんですけど」

「客？　私に？」

事務員が近寄ってきて、石神の耳元でいった。「刑事らしいんですけど」

「ははあ……」

「どうしますか」事務員が様子を窺う表情をした。

「どうするって、待ってるんでしょ」

「そうですけど、何か適当な理由をつけて、帰ってもらってもいいですよ」

石神は苦笑を浮かべた。

「そんな必要ないですよ。どこの部屋ですか」

「来客室で待ってもらってますけど」

「じゃあ、すぐに行きます」答案用紙を自分の鞄に詰めると、それを抱えて職員室を出た。採点は自宅でやるつもりだ。

事務員がついてこようとしたので、「一人で大丈夫です」といって断った。事務員の魂胆はわかっている。刑事が何の用でやってきたのか知りたいのだろう。追い返してやってもいいといったのも、そうすれば石神から事情を聞き出しやすいと思ったからに違いない。

来客室に行くと、予想通りの相手が一人で待っていた。草薙という刑事だ。

「すみません、学校まで押し掛けてきまして」草薙は立ち上がり、頭を下げた。

「よく学校だとわかりましたね。春休みに入っているのに」

「じつは一旦はお宅に伺ったのですが、お留守のようでしたので、学校に電話してみたんです。そうしたら、追試があるとか。大変ですね、先生も」

「生徒ほどじゃありません。それに今日は追試ではなく再追試でした」

「ははあ、そうですか。先生のお作りになる問題なら難しそうだ」

「どうしてですか」石神は刑事の顔を見据えて訊いた。

「いや、ただ、何となくそんな気がしたんです」

「難しくはありません。ただ、思い込みによる盲点をついているだけです」

「盲点、ですか」

「たとえば幾何の問題に見せかけて、じつは関数の問題であるとか」石神は刑事の向かい側に腰を下ろした。「まあ、そんなことはどうでもいいでしょう。で、今日はどういった御用件で？」

「はい、大したことではないんですが」草薙も座り、手帳を出してきた。「あの夜のことを、もう一度詳しくお訊きしたいと思いまして」

「あの夜というと？」

「三月十日です」草薙はいった。「御承知だと思いますが、例の事件が起きた夜です」

「荒川で見つかった死体の事件ですか」

「荒川じゃなく、旧江戸川です」草薙はすかさず訂正してきた。「以前、花岡さんのことをお尋ねしましたよね。あの夜、何か変わったことはありませんでしたか、と」

「覚えています。特に何もなかったと思います、とお答えしたはずですが」

「おっしゃるとおりですが、そこのところをもう少し詳しく思い出していただけないかと思いまして」

「どういうことでしょうか。心当たりがないんだから、思い出すも何もないと思うんですが」石神は口元を緩めてみせた。

「いや、ですから、先生は特に意識されなかったことでも、じつは大きな意味があった、ということも考えられるわけです。あの夜のことを、出来るだけ詳しく話していただけると助かります。事件との関連など、お考えにならなくて結構です」

「はあ……そうですか」石神は自分の首筋を撫でた。

「少し前のことなので、難しいとは思いますが。一応、先生の記憶の足しになればと思い、こういうものをお借りしてきました」

草薙が出してきたのは、石神の勤怠表と、担当クラスの時間割、そして学校のスケジュール表だった。事務員から借りたのだろう。

「これを見れば、少しは思い出しやすいのではないかと……」刑事は愛想笑いを浮かべた。

それを見た瞬間、石神は刑事の目的を察知した。言葉を濁しているが、どうやら草薙が知りたいのは、花岡靖子のことではなく石神のアリバイらしい。なぜ警察の矛先が自分に向けられたのか、その具体的な根拠には心当たりがなかった。ただ、気になることはある。それはやはり湯川学の行動だ。

とにかく刑事の目的がアリバイ調べにあるのなら、それなりの対応をせねばならない。石神は座り直し、背筋を伸ばした。

「あの夜は柔道部の練習が終わってから帰りましたから、七時頃に帰ったと思います。前もそのようにお話ししたはずです」

「そのとおりです。で、その後はずっと部屋にいらっしゃったわけですか」

「さあ。たぶんそうだったと思いますが」石神はわざと言葉をぼかした。草薙の出方を見るつもりだった。

「部屋にどなたかが訪ねてきたことはありませんか。あるいは電話がかかってきたとか」

刑事の質問に、石神は小さく首を傾げた。

「誰の部屋にですか。花岡さんの部屋に、という意味ですか」

「いやそうではなく、あなたの部屋にです」

「私の部屋に？」

「それが事件とどう関係するのか、と不思議に思われるのはもっともです。あなたがどうとかではなく、我々としては、あの夜花岡靖子さんの周囲で起きたことを、出来る限り克明に把握しておきたいというだけでして」

苦しい言い訳だ、と石神は思った。無論この刑事にしても、こじつけだとばれるのは承知の上でいっているのだろう。

「あの夜は誰とも会っていません。電話も……たぶんかかってこなかったんじゃないでしょうか。ふだんからめったに電話はかかってきませんから」

「そうですか」

「すみませんね、わざわざ来ていただいたのに、何ひとつ参考になることをお話しできなくて」

「いえ、そんなお気遣いは結構です。ところで――」草薙は勤怠表を手に取った。「これによりますと、先生は十一日の午前中、授業を休んでおられますね。学校に出てこられたのは午後からとなっています。何かあったんですか」

「その日ですか。どうってことはありません。体調がよくなくて、それで休ませてもらったんです。三学期の授業はほぼ終わっているし、影響も少ないと思いましてね」

「病院には行かれたんですか」

「いや、それほどでもなかったんです。だから午後から出てきたわけです」

「先程事務の方から伺ったのですが、石神先生は殆ど休まれることはないそうですね。ただ、月に一度くらいの割合で、午前中だけお休みされることがあるとか」

「休暇をそういう形で使っているのは事実です」

「先生は数学の研究を続けておられて、徹夜になってしまうことも多いそうですね。それでそんな日の翌日は午前中だけ休むらしい、と事務の方はおっしゃってましたが」

「そういう説明を事務の者にした覚えはあります」

「で、その頻度が大体一か月に一度ぐらいの割です、とお聞きしたのですが」草薙は再び勤怠表に目を落とす。「十一日の前日、つまり十日も、先生は午前中の授業をお休みになっている。この時はいつものことだから、事務の方も何とも思わなかったそうなんですが、その次の日も休むと聞いて、少し驚かれたようです。二日続いたことは、今までになかったそうですね」

「なかった……かな」石神は額に手をやった。慎重に答えなければならない局面だ。「まあ、深い理由はありません。おっしゃるとおり十日は、前日に夜更かししたものですから、午後からの出勤にしてもらったんです。ところがその夜になって少し熱が出たので、翌日も午前中は休まねばならなかったというわけです」

「それで午後から出勤されたと？」

「そうです」石神は頷いた。

「ははあ」草薙は明らかに疑いの籠もった目で見返してきた。

「何か変でしょうか」

「いや、午後から学校に出られたということは、体調が悪いといっても大したことはなかったのかな、と思いましてね。ただ、その程度なら、少々無理しても出勤するのがふつうですから、どういうことかなと。何しろ、前日の午前中も休んでおられるわけですから」草薙は、石神を怪しむ言葉を露骨に口に出してきた。そのことで石神が多少気分を害しても構わぬと腹をくっているのだろう。

挑発には乗るものかと石神は苦笑を作った。

「そういわれればそうかもしれませんが、あの時は具合が悪くて、とても起きられなかったんですよ。でも昼前になると不思議に楽になって、それで少し無理をして出ていったわけです。もちろん、おっしゃるように、前日も休んだという負い目があったからです」

石神が話している間、草薙はじっと目を見つめてきた。容疑者が嘘をつく時には必ず狼狽が目に現れるものだと信じているような、鋭くてしつこい視線だった。

「なるほど。まあ、ふだんから柔道で鍛えておられるから、少々の病気なら半日もあれば吹き飛ばす、ということなんでしょうね。事務の方も、石神先生が病気にかかったという話は、これまで聞いたことがないとおっしゃってましたよ」

「まさか。私だって風邪ぐらいはひきます」

「それがたまたまあの日だった、というわけですね」

「たまたま、とはどういう意味ですか。私にとっては何の意味もない日ですが」

「そうでしたね」草薙は手帳を閉じ、立ち上がった。「お忙しいところ、申し訳ありませんでした」

「こちらこそ、お役に立てなくて」

「いえ、これで結構です」

二人で一緒に来客室を出た。石神は玄関まで刑事を見送ることにした。

「湯川とはその後、お会いになりましたか」歩きながら草薙が訊いてきた。

「いや、あの後は一度も」石神は答えた。「あなたのほうは？　時々、お会いになってるんでしょう？」

「それが私も忙しくて、最近は会ってないんですよ。どうですか、一度三人で会いませんか。湯川から聞きましたが、石神さんもお酒のほうはかなりいけるそうじゃないですか」草薙はグラスを傾けるしぐさをした。

「それは構いませんが、事件が解決してからのほうがいいんじゃないんですか」

「まあそうなんですが、我々だって、まるで休みなしというわけじゃありません。一度お誘いしますよ」

「そうですか。じゃあ、お待ちしています」

「必ず」そういって草薙は正面玄関から出ていった。

石神は廊下に戻った後、窓から刑事の後ろ姿を眺めた。草薙は携帯電話で話している。表情まではわからない。

刑事がアリバイを調べにきたことの意味を彼は考えた。疑いを向けるからには何らかの根拠があるはずだ。それは一体何なのか。以前、草薙と会った時には、そんな考えを持っているようには思えなかった。

ただ、今日の質問を聞いたかぎりでは、草薙はまだ事件の本質に気づいていない。真相からは程遠いところをさまよっている感じだ。あの刑事は、石神にアリバイがないことで、何らかの手応えを摑んだに違いない。しかしそれはそれでいいのだ。そこまではまだ石神の計算内の出来事だ。

問題は――。

湯川学の顔がちらついた。あの男はどこまで嗅ぎつけているのか。そしてこの事件の真相をどこまで暴こうとしているのか。

先日、靖子から電話で奇妙なことを聞いた。湯川が彼女に、石神のことをどう思うか尋ねたらしい。しかも彼は、石神が靖子に好意を持っていることまで見抜いているようだ。

石神は湯川とのやりとりを思い起こしたが、彼女への気持ちを気取られるような迂闊なことをした覚えはまるでなかった。それなのにあの物理学者はなぜ気づいたのか。

石神は踵を返し、職員室に向かって歩きだした。途中、あの事務員の男と廊下で出会った。

「あれ、刑事さんは？」

「用が済んだらしく、ついさっき帰りました」

「先生はお帰りにならないんですか」

「ええ、ちょっと思い出したことがあって」

刑事からどんなことを訊かれたのか知りたそうな事務員を残し、石神は足早に職員室に戻った。自分の席につくと、机の下を覗き込んだ。そこに収納してあったファイルを何冊か取り出した。中身は授業とは全く関係がない。ある数学の難問について、彼が何年間も取り組んできた成果の一部だ。

それらを鞄に詰めた後、彼は職員室を後にした。

「前にもいっただろ。考察というのは、考えて察した内容のことだ。実験して予想通りの結果が得られたのでよかったというんじゃあ、単なる感想なんだ。そもそも、何もかもが予想通りというわけじゃないだろ。実験の中から、自分なりに何かを発見してほしいんだ。とにかくもう少し考えて書くように」

珍しく湯川が苛立っていた。悄然《しょうぜん》と立っている学生に、レポート用紙を突き返すと、大きく首を横に振った。学生は頭を下げ、部屋を出ていった。

「おまえでも怒ることがあるんだな」草薙はいった。

「別に怒ってるわけじゃない。取り組み方が甘いから、指導しているだけだ」湯川は立ち上がり、マグカップにインスタントコーヒーを作り始めた。「で、その後何かわかったのかい？」

「石神のアリバイを調べた。というより、本人に会って訊いてきた」

「正面攻撃か」湯川は大きなマグカップを持ったまま、流し台を背にした。「それで、本人の反応は？」

「あの夜はずっと家にいたといっている」

湯川は顔をしかめ、かぶりを振った。

「僕は、反応はどうだったかと訊いてるんだ。答えを訊いてるんじゃない」

「反応って……まあ、特に狼狽している様子はなかった。刑事が来たと聞いて、ある程度は気持ちを落ち着けてきただろうしな」

「アリバイを尋ねられたことに対して、疑問を持っているようだったかい」

「いや、理由は訊いてこなかった。俺のほうも、直接的な訊き方をしたわけじゃないしな」

「彼のことだ。アリバイを訊かれることは予想していたかもしれないな」湯川は独り言のようにいい、コーヒーを口に含んだ。「あの夜はずっと家にいたって？」

「おまけに熱が出たとかで、翌日は午前中だけ授業を休んでいる」草薙は学校の事務室でもらってきた石神の勤怠表を机に置いた。

湯川が近寄ってきて、椅子に座った。勤怠表を手に取る。

「翌日の午前……か」

「犯行後、いろいろと事後処理があったんじゃないのかな。それで学校に行けなかったというわけだ」

「弁当屋の彼女のほうはどうなのかな」

「ぬかりなく調べてあるよ。十一日、花岡靖子はいつも通りに出勤している。参考までにいっておくと、娘のほうも学校に出ている。遅刻もしていない」

湯川は勤怠表を机に置き、腕組みをした。

「事後処理って、一体何をする必要があったんだろう」

「そりゃあ、凶器の処分とかだ」

「そんなことに十時間以上もかかるかな」

「なんで十時間以上なんだ」

「だって犯行は十日の夜だろ。翌日の午前中を休んだってことは、事後処理に十時間以上を要してることになる」

「寝る時間が必要だろうが」

「犯行の事後処理を終える前に寝る人間なんていない。そしてそのせいで仮に寝る時間がなくなったからといって、休んだりはしない。どんなに無理をしてでも出勤したはずだ」

「……どうしても休まざるをえない理由があったということだろうな」

「だからその理由を考えている」湯川はマグカップを手にした。

草薙は机の勤怠表を丁寧に折り畳んだ。

「今日はどうしてもおまえに訊いておきたいことがある。石神を疑い始めたきっかけだ。それを話してくれないことには、こっちだってやりにくい」

「おかしなことをいうじゃないか。君は自分の力で、彼が花岡靖子に好意を持っていることを突き止めたんだろう？　それならもうその点に関しては、僕の意見なんか訊く必要はないはずだ」

「ところがそうはいかない。俺にだって立場というものがある。うちの上司に報告するのに、ただあてずっぽうで石神に目をつけた、とはいえない」

「花岡靖子の周辺を調べていたら、石神という数学教師が浮かんできた——それで十分じゃないか」

「そう報告したさ。それで石神と花岡靖子の関係を調べてみた。だが残念ながら今のところ、二人の間に密接な関係があるという裏づけを取れないでいる」

するとと湯川はマグカップを持ったまま、身体を揺するように笑った。

「まあ、そうだろうな」

「何だよ。どういう意味だ」

「深い意味なんかない。彼等の間には何もないだろうといっているだけだ。いくら調べても何も出てこないと断言しておこう」

「他人事のようにいうな。うちの班長なんか、早くも石神には興味を失いかけている。今のままだと俺が勝手に動くこともできなくなる。それでおまえに、石神に目をつけた理由を教えてもらいたいんだ。なあ湯川、もういいだろ。どうして話してくれないんだ」

草薙が懇願の口調になったからか、湯川は真顔に戻り、マグカップを置いた。

「話しても意味がないからだ。君にとっても何の役にも立たない」

「どうして？」

「僕が、この事件に彼が関係しているんじゃないかと思ったきっかけは、君がさっきから何度もいっていることと同じだからだ。ある些細なことから、彼の花岡靖子に対する思いを察知した。

それで、彼が事件に関わっている可能性を調べてみようという気になったんだ。好意を持っているらしいというだけで、なぜそんなふうに考えたのかと君は訊きたいのだろうが、これはいわば直感のようなものだ。彼のことをある程度わかっている人間でなければ理解することは難しい。君もよく、刑事の勘、ということをいうじゃないか。いわばそれと同等だ」

「日頃のおまえからは考えられない発言だな。直感、とはね」

「たまにはいいだろ」

「じゃあ、石神の靖子に対する思いを察知した、きっかけというやつだけでも教えてくれ」

「断る」湯川は即座に答えた。

「おい……」

「彼のプライドに関することだからだ。ほかの人間には話したくない」

草薙がため息をついた時、ドアをノックする音がして一人の学生が入ってきた。

「やあ」湯川がその学生に呼びかけた。「急に呼んですまなかった。先日のレポートについて話しておきたいことがあってね」

「何でしょうか」眼鏡をかけた学生は直立不動になった。

「君のレポートはなかなかよく書けていた。ただ、ひとつだけ確認しておきたいことがある。君はあれを物性論で語っていたが、どうしてかな」

学生は戸惑った目をした。

「だって、物性論の試験だったから……」

湯川は苦笑し、続いてかぶりを振った。

「あの試験の本質は素粒子論にある。だからそちらからもアプローチしてほしかった。物性論の試験だからといって、ほかの理論は無用だと決めつけるな。それではいい学者になれない。思い込みはいつだって敵だ。見えるものも見えなくしてしまうからな」

「わかりました」学生は素直に頷いた。

「君が優秀だからアドバイスするんだ。御苦労さん、もういいよ」

ありがとうございました、といって学生は出ていった。

草薙は湯川の顔を見つめていた。

「なんだ、僕の顔に何かついてるかい」湯川が訊いた。

「いや、学者は皆同じようなことをいうと思ってさ」

「というと?」

「石神からも似たような話を聞いた」草薙は、石神が試験問題について語っていた内容を湯川に話した。

「ふうん、思い込みによる盲点をつく……か。彼らしいな」湯川はにやにやした。

だが次の瞬間、物理学者の顔つきが変わった。彼は突然椅子から立ち上がると、頭に手をやり、窓際まで歩いた。そして空を見上げるように上を向いた。

「おい、湯川……」

だが湯川は、思考の邪魔をするなとでもいうように草薙のほうに掌を向けた。草薙は仕方なく、そんな友人の様子を眺めた。

「ありえない」湯川は呟いた。「そんなことができるはずがない……」

「どうしたんだ」草薙は堪《たま》らず訊いた。

「さっきの紙を見せてくれ。石神の勤怠表だ」

湯川にいわれ、草薙はあわてて折り畳んだ紙を懐から取り出した。それを受け取ると、湯川は紙面を睨み、低く唸った。

「そんな……まさか……」

「おい、湯川、何だっていうんだ。俺に教えてくれよ」

湯川は勤怠表を草薙のほうに差し出した。

「悪いが、今日は帰ってくれ」

「何だよ、それはないだろう」草薙は抗議した。だが湯川の顔を見た途端、次の言葉は出なくなった。

友人の物理学者の顔は、悲しみと苦痛に歪んでいるようだった。そんな表情を、草薙はこれまでに一度も見たことがなかった。

「帰ってくれ。すまん」湯川はもう一度いった。呻くような声だった。

草薙は腰を上げた。尋ねたいことは山のようにあった。しかし、今の自分に出来ることは、友人の前から去ることだけだと思わざるをえなかった。

15

時計が午前七時三十分を示した。石神は鞄を抱えて部屋を出た。その鞄には、彼がこの世で最も大切にしているものが入っている。現在、彼が研究している、ある数学理論をまとめたファイルだ。現在、というより、これまでずっと研究を続けてきた、といったほうが正確かもしれない。何しろ、彼は大学の卒業論文でも、それを研究テーマにしたのだ。そして、まだ完成には至っていない。

その数学理論の完成には、これからさらに二十年以上はかかるだろう、と彼は目算を立てている。下手をしたら、もっとかかるかもしれない。それほどの難問だからこそ、数学者が一生をかけるにふさわしいと信じている。また、自分以外には完成できないという自負も彼にはあった。

ほかのことは一切考える必要がなく、雑事に時間を奪われることもなく、難問への取り組みだけに没頭できたらどんなに素晴らしいだろう——石神はしばしばそんな妄想に駆られる。果たして生きているうちにこの研究を成し遂げられるだろうかと不安になるたび、それとは無縁のことをしている時間が惜しくなる。

どこへ行くにしても、このファイルだけは手放せないと彼は思った。寸暇を惜しんで、研究を一歩でも先に進めなければならない。紙と鉛筆さえあれば、それは可能だ。この研究と向き合えるならば、ほかに何も求めるものはない。

いつもの道を、彼は機械的に歩いた。新大橋を渡って、隅田川沿いに進む。右側には青いビニールシートで作られた小屋が並んでいる。伸びた白髪を後ろで束ねた男が、鍋をコンロにかけていた。鍋の中身はわからない。男のそばには薄茶色の雑種犬が繋がれていた。犬は飼い主に尻を向け、くたびれたように座っていた。

『缶男』は相変わらず、缶を潰していた。独り言をぶつぶつと呟いている。彼の傍らには、すでに空き缶で満杯になったビニール袋が二つもあった。

『缶男』の前を通りすぎてしばらく歩くと、ベンチがあった。誰も座っていなかった。石神はそれをちらりと見てから、また俯いた姿勢に戻った。時間的には、彼の歩く歩調は変わらなかった。

前方から誰かが歩いてくる気配があった。時間的には、三匹の犬を連れた老婦人と出会う頃だが、彼女ではなさそうだ。石神は何気なく顔を上げた。

「あっ」彼は声を漏らし、足を止めていた。

相手は立ち止まらなかった。それどころか、にこにこと笑顔を浮かべ、彼に近づいてきた。相手は石神の前まで来て、ようやく足を止めた。

「おはよう」湯川学はいった。

石神は一瞬返事に窮した後、唇を舐めてから口を開いた。

「俺を待ってたのか」

「もちろんそうさ」湯川はにこやかな表情のまま答えた。「でも、待っていたというのとは少し違う。清洲橋のほうからぶらぶらと歩いてきたところだ。君に会えるだろうと思ってね」

「余程の急用みたいだな」

「急用……どうかな。そうなるのかな」湯川は首を傾げた。

「今、話したほうがいいのか」石神は腕時計を見た。「あまり時間はないんだが」

「十分か、十五分でいい」

「歩きながらでいいか」

「構わないが」湯川は周囲を見回した。「少しだけここで話がしたい。二、三分でいい。そこのベンチに座ろう」そういうと彼は石神の返事を待たず、空いているベンチに向かった。

石神は吐息をつき、友人に従った。

「前にも一度、一緒にここを歩いたことがある」湯川がいった。

「そうだったな」

「あの時、君はいった。ホームレスの連中を見て、彼等は時計のように正確に生きている、と。覚えてるかい」

「覚えている。人間は時計から解放されるとかえってそうなる——これはおまえの台詞だ」

湯川は満足そうに頷いた。

「僕や君が時計から解放されることは不可能だ。お互い、社会という時計の歯車に成り下がっている。歯車がなくなれば時計は狂いだす。どんなに自分一人で勝手に回っていたいと思っても、周りがそれを許さない。そのことで同時に安定というものも得ているわけだが、不自由だというのも事実だ。ホームレスの中には、元の生活には戻りたくないと思っている人間も結構いるらしい」

「そんな無駄話をしていると、二、三分なんてすぐに経つぞ」石神は時計を見た。「ほら、もう一分経った」

「この世に無駄な歯車なんかないし、その使い道を決められるのは歯車自身だけだ、ということをいいたかったんだ」湯川は石神の顔をじっと見つめてきた。「学校を辞める気なのか」

石神は驚いて目を見開いた。「どうしてそんなことを？」

「いや、何となくそんな気がしたんだ。君だって、自分に与えられた役割が、数学教師という名の歯車だと信じているわけじゃないだろうと思ったからね」湯川はベンチから腰を上げた。「行こうか」

二人は並んで隅田川沿いの堤防を歩きだした。石神は、隣の旧友が会話をしかけてくるのを待った。

「草薙が君のところへ行ったそうだな。アリバイを確認したとか」

「うん。先週だったかな」

「彼は君を疑っている」

「そうらしい。どうしてそんなふうに思ったのか、俺にはまるで見当がつかないんだが」

するとと湯川は、ふっと口元を緩めた。

「じつをいうと彼だって半信半疑なんだ。僕が君のことを気にしているのを見て、君に関心を持ったにすぎない。おそらくこういうことをばらすのはまずいんだろうが、警察は君を疑う根拠を殆ど持っていない」

石神は足を止めた。「どうしてそのことを俺に話すんだ？」

湯川も止まり、石神のほうを向いた。

「友人だからだ。それ以外に理由はない」

「友人なら話す必要があると思ったのか？　どうして？　俺は事件とは無関係だぞ。警察が疑っていようといなかろうと、どっちでもいい」

湯川が長く深いため息をつくのがわかった。さらに彼は小さくかぶりを振った。その表情がどこか悲しげであることに、石神は焦りを覚えた。

「アリバイは関係ない」湯川は静かにいった。

「えっ？」

「草薙たちは容疑者のアリバイを崩すことに夢中だ。花岡靖子のアリバイの不十分な部分を突いていけば、もし彼女が犯人であれば、いずれ真相に到達できると信じている。君が共犯者なら、君のアリバイについても調べれば、君たちの牙城を崩せると思っている」

「おまえがなぜそんなことをいいだしたのか、俺にはさっぱりわからないんだが」石神は続けた。「刑事としては当然じゃないのかな、それは。君のいうように、もし彼女が犯人なら、という話だが」

するとと湯川はまた少し口元を緩めた。

「草薙から面白い話を聞いた。君の試験問題の作り方についてだ。思い込みによる盲点をつく。

たとえば幾何の問題に見せかけて、じつは関数の問題である、とか。なるほどと思った。数学の本質を理解しておらず、マニュアルに基づいて解くことに慣れている生徒には、その問題は有効だろう。一見、幾何の問題に見えるものだから、必死になってそっちの方向から解こうとする。だけど解けない。時間だけがどんどん過ぎていく。いじわるといえばいじわるだが、本当の実力を試すには効果的だ」

「何がいいたいんだ？」

「草薙たちは」湯川は真顔に戻っていった。「今回の問題を、アリバイ崩しだと思い込んでいる。もっとも怪しい容疑者がアリバイを主張しているのだから、当然といえば当然だ。しかもそのアリバイには、いかにも崩せそうな気配がある。とっかかりが見つかれば、そこから攻めたくなるのが人情だ。僕たちが研究に取り組む時でもそうだ。ところがそのとっかかりが、じつは全くの的外れだったということも、研究の世界では往々にして起こる。草薙たちもまた、その罠にはまっている。いや、まんまとはめられているというべきかな」

「捜査方針に疑問があるのなら、俺にではなく、草薙刑事に進言すべきじゃないのか」

「もちろん。いずれはそうせざるをえない。だけど、その前に君に話しておきたい。その理由については、さっきいったとおりだ」

「友人だからというわけか」

「さらにいうなら、君の才能を失いたくないからだ。こんな面倒なことはさっさと片づけて、君には君のすべきことに取り組んでもらいたい。君の頭脳を無駄なことに費やしてほしくない」

「おまえにいわれなくても、俺は無駄なことに時間を浪費したりはしないよ」そういうと石神は再び歩きだした。しかしそれは学校に遅れるからではなく、その場に留まっているのが辛かったからだ。

湯川が後からついてきた。

「今回の事件を解決するには、アリバイ崩しの問題だと思ってはならない。全く別の問題だ。幾何と関数より、もっと違いは大きい」

「参考までに訊くんだが、じゃあ何の問題だというんだ」前を向いて歩きながら、石神はいった。

「それを一言でいうのは難しいが、強いていえばカムフラージュの問題ということになる。偽装工作だ。捜査陣は犯人たちの偽装に騙《だま》されている。彼等が手がかりだと思ったものは、すべて手がかりじゃない。ヒントを摑んだと思った瞬間、犯人の術中にはまるという仕掛けになっている」

「複雑そうだな」

「複雑さ。だけど、見方を少し変えるだけで、驚くほど簡単な問題になる。凡人が隠蔽工作を複雑にやろうとすると、その複雑さゆえに墓穴を掘る。ところが天才はそんなことはしない。極めて単純な、だけど常人には思いつかない、常人なら絶対に選ばない方法を選ぶことで、問題を一気に複雑化させる」

「物理学者は抽象的な表現は嫌うんじゃなかったのか」

「では具体的なことを少しだけ話そうか。時間は？」

「まだ大丈夫だ」

「弁当屋に寄っている時間はあるのか」

石神はちらりと湯川を見てから、視線を前に戻した。

「毎日、あそこで弁当を買っているわけじゃない」

「そうなのか。僕が聞いたところでは、ほぼ毎日らしいんだが」

「おまえが俺と例の事件とを結びつける根拠はそれなのか」

「そのとおり、ともいえるし、少し違うともいえる。君が毎日同じ店で弁当を買ったって何とも思わないが、特定の女性に毎日会いに行っているとなれば、見過ごせない」

石神は足を止め、湯川を睨みつけた。

「昔の友人なら、何をいっても構わないと思ってるのか」

湯川は目をそらさない。石神の視線を真正面から受けとめる目には力が籠もっていた。

「本当に怒ったのか？　心が穏やかでないのはわかるが」

「馬鹿馬鹿しい」石神は歩きだす。清洲橋が迫ったところで、手前の階段を上がり始めた。

「死体が見つかった現場から少し離れたところで、被害者のものと思われる衣服が燃やされていた」湯川がついてきながら話し始めた。「一斗缶の中から燃え残りが見つかったんだ。犯人がやったものと思われる。最初にそれを聞いた時、なぜ犯人は完全に燃え尽きるまでそこにいなかったのだろうと思った。草薙たちは、一刻も早くその場を立ち去りたかったのだろうと考えているようだが、それなら、とりあえず持ち去って、後でゆっくりと処分すればいいんじゃないかと思った。それとも犯人は、もっと早く燃え尽きると思ったんだろうか。そんなふうに考え始めると気になって仕方がない。そこで僕は実際に燃やしてみることにした」

石神はまた足を止めた。「服を燃やしたのか」

「一斗缶の中でね。ジャンパー、セーター、ズボン、靴下……ええと、それから下着か。古着屋で買ったんだけど、思わぬ出費だ。数学者と違って、我々は実験しないと気が済まない性格なんだ」

「それで結果は？」

「有毒ガスを発しながら、じつによく燃えた」湯川はいった。「全部燃えた。あっという間だ。五分とかからなかったかもしれないな」

「それで？」

「犯人はなぜその五分間を待てなかったんだろう？」

「さあね」石神は階段を上がりきると、清洲橋通りで左に曲がった。『べんてん亭』とは逆方向だ。

「弁当は買わないのか」案の定、湯川が訊いてきた。

「しつこい男だな。毎日買うわけじゃないといってるだろ」石神は眉根を寄せた。

「まあ、君が昼飯に困らないのならそれでいい」湯川は隣に並んできた。「死体のそばからは、自転車も発見されている。捜査によって、篠崎駅に止めてあったものが盗まれたのだと判明した。自転車には被害者のものと思われる指紋がついていた」

「それがどうかしたのか」

「死体の顔まで潰しておいて、自転車の指紋を消し忘れるとは、鈍《どん》な犯人もいたものだ。だが、わざと残しておいたのだとしたら話は変わってくる。その目的は何なのか？」

「何だというんだ」

「自転車と被害者を結びつけるため……かな。自転車が事件と無関係だと思われると、犯人としては都合が悪かった」

「どうして？」

「被害者が自転車を使って篠崎駅から現場に行った、ということを、警察の手で摑んでほしかったからさ。しかもふつうの自転車ではだめだった」

「見つかったのは、ふつうの自転車じゃなかったのか」

「どこにでもあるママチャリだ。だけど一つだけ特徴があった。新品同様だったということだ」

石神は全身の毛穴が開くのを感じた。息が荒くなるのを抑えるのに苦労していた。

おはようございます、と声をかけられ、はっとした。自転車に乗った女子高生が彼を追い越していくところだった。彼女は石神に向かって、軽く一礼した。

「あ、おはよう」あわてて応えた。

「感心だな。今じゃ、教師に挨拶する生徒なんていないと思っていた」湯川がいう。

「殆どいないよ。ところで、自転車が新品同様だったというのが、何か意味があるのか」

「警察じゃ、どうせ盗むのなら新しいほうがいいからだろうと考えたようだが、そんな単純な理由じゃない。犯人がこだわったのは、自転車がいつから篠崎駅に置かれていたか、だった」

「というと？」

「犯人としては、駅に何日も放置されているような自転車には用がなかったんだよ。しかも持ち主には名乗り出てもらいたかった。そのためには新品同様である必要があった。買ったばかりの自転車を延々と放置しておく人は少ないし、もし盗まれたとしたら、警察に届ける可能性が高いからな。もっとも、これらのことは犯行をカムフラージュする絶対条件というわけではない。犯人にしてみれば、うまくいけばありがたいという気持ちで、成功の確率が高くなる方法を選んだというわけだ」

「ふうん……」

石神は湯川の推理についてコメントせず、前だけを向いて歩いた。やがて学校が近づいてきた。歩道に生徒の姿が見られるようになった。

「面白そうな話なんで、もっと聞いていたいんだが」彼は立ち止まり、湯川のほうを向いた。「ここから先は遠慮してくれないか。生徒たちに聞かれたくないのでね」

「そのほうがいいだろうな。僕も、大まかなことは伝えられたと思うし」

「興味深かった」石神はいった。「以前おまえにこういう問題を出されたことがある。人に解けない問題を作るのと、その問題を解くのとでは、どちらが難しいか――覚えているか」

「覚えている。僕の答えは、問題を作るほうが難しい、だ。解答者は、常に出題者に対して敬意を払わねばならないと思っている」

「なるほど。じゃあ、P≠NP問題は？　自分で考えて答えを出すのと、他人から聞いた答えが正しいかどうかを確かめるのとでは、どちらが簡単か」

湯川は怪訝そうな顔をしている。石神の意図がわからないのだろう。

「おまえはまず自分で答えを出した。次は他人が出した答えを聞く番だな」そういって石神は湯川の胸を指差した。

「石神……」

「じゃあ、ここで」石神は湯川に背中を向け、歩きだした。鞄を抱える腕に力を込める。

もはやここまでか、と彼は思った。あの物理学者は、すべてを見抜いている――。

デザートの杏仁豆腐を食べている間も、美里は押し黙ったままだった。やはり連れてこないほうがよかったのだろうか、と靖子は不安になる。

「おなかいっぱいになったかい、美里ちゃん」工藤が話しかける。彼は今夜、終始気を遣いっぱなしだ。

美里は彼のほうを見ようとはせず、スプーンを口元に運びながら頷いた。

靖子たちは銀座の中華料理店に来ていた。工藤が、ぜひ美里ちゃんも一緒に、といったから、渋る美里を無理矢理引っ張ってきたのだ。中学生にもなれば、「おいしいものを食べられる」というような台詞には何の効果もない。結局靖子は、「あまり不自然なことをすると警察から疑われるから」といって、美里を説得したのだった。

だがこれでは工藤を不愉快にさせただけかもしれない、と靖子は後悔していた。食事をしている間も、工藤はあれこれと美里に話しかけたが、とうとう最後まで美里がまともに答えることはなかった。

「あ、はい」

杏仁豆腐を食べ終えた美里が、靖子のほうを向いた。「トイレに行ってくる」

美里がいなくなるのを待って、靖子は工藤に向かって手を合わせた。

「ごめんなさいね、工藤さん」

「えっ、何が？」彼は意外そうな顔をする。無論、演技だろう。

「あの子、人見知りするのよ。それに、大人の男の人は特に苦手みたい」

工藤は笑った。

「すぐに仲良くなれるとは思っちゃいないよ。僕だって中学生の時はあんな感じだった。今日はとにかく会えればいいと思っていたからね」

「ありがとう」

工藤は頷き、椅子にかけた上着のポケットから煙草とライターを出してきた。食事中は喫煙を我慢していたのだ。たぶん美里がいるからだろう。

「ところで、その後何か変わったことは？」一服してから工藤が訊いてきた。

「何かって？」

「事件のこととか、だけど」

ああ、と靖子は一旦目を伏せてから、改めて彼を見た。

「特に何もない。平凡な毎日よ」

「それならよかった。刑事は来ない？」

「ここしばらくは会ってないわね。お店にも来ないし。工藤さんのところへは？」

「うん、僕のところにも来ない。どうやら疑いが晴れたらしい」工藤は煙草の灰を灰皿に落とした。「ただ、ちょっと気になることがある」

「何？」

「うん……」工藤は少し迷いの表情を浮かべてから口を開いた。「じつはこのところ、無言電話がよくかかってくる。自宅の電話にだけど」

「何それ？　気持ち悪いわね」靖子は眉をひそめた。

「それから」彼は躊躇いがちに、上着のポケットから一枚のメモのようなものを取り出した。「こんなものがポストに入っていた」

靖子はそのメモの文面を見て、ぎくりとした。彼女の名前が書いてあったからだ。内容は次のようなものだった。

『花岡靖子に近づくな　彼女を幸せにできるのは　おまえのような男ではない』

ワープロかパソコンで書かれたものらしい。もちろん差出人の名前などはない。

「郵便で送られてきたの？」

「いや、誰かが直接ポストに入れたようだ」

「心当たり、あるの？」

「僕には全然。だから君に訊こうと思っていたんだ」

「あたしにも心当たりなんてないけど……」靖子はバッグを引き寄せ、中からハンカチを取り出していた。掌に汗が滲み始めていた。

「入れられていたのは、この手紙だけ？」

「いや、写真が一枚入っていた」

「写真？」

「以前、君と品川で会った時のものだ。ホテルの駐車場にいるところを撮られたらしい。全く気づかなかった」工藤は首を捻った。

靖子は思わず周りを見回していた。だがまさか、この店内で見張られているはずはない。

美里が戻ってきたので、この話はここまでとなった。靖子たちは、店を出たところで工藤と別れ、タクシーに乗った。

「料理、おいしかったでしょ」靖子は娘にいった。

だが美里はふてくされた表情のままで何もいわない。

「ずっとそんな顔をしてたら失礼でしょ」

「だったら、連れてかなきゃいいじゃん。あたし、いやだっていったのに」

「だって、せっかく誘ってもらってるのに」

「おかあさんだけ行けばいいでしょ。もう、あたし、行かないから」

靖子は吐息をついた。工藤は、時間をかければ美里が心を開く日も来ると信じているようだが、とても望めないと思った。

「おかあさん、あの人と結婚するの？」突然美里が訊いてきた。

靖子はもたれていたシートから身を起こした。「何いってるの」

「マジで訊いてんだけど。結婚したいんじゃないの？」

「しないわよ」

「本当？」

「当たり前じゃない。たまに会ってるだけでしょ」

「だったらいいけど」美里は窓のほうに顔を向ける。

「何がいいたいの？」

「別に」そういってから美里は、ゆっくりと靖子のほうを向いた。「あのおじさんのことを裏切ったらまずいよな、と思っただけ」

「あのおじさん、というのは……」

美里は母親の目を見つめ、黙って顎を引いた。隣のおじさんだよ、といいたいらしい。口に出さないのは、タクシーの運転手の耳を気にしてのことだろう。

「あなたはそんなこと気にしなくていいの」靖子は再びシートにもたれた。

美里は、ふうん、とだけいった。母親のことを信じている様子ではない。

靖子は石神のことを考えた。美里にいわれるまでもなく、彼のことは気になっている。工藤から聞いた妙な話が引っかかっているからだ。

靖子としては、思い当たる人物は一人しかいない。靖子が工藤に送られてアパートに帰った時、その様子を見つめていた石神の暗い目は、今も脳裏に焼き付いている。

靖子が工藤と会っていることについて、石神が嫉妬の炎を燃やしていることは、十分に考えられた。彼が犯行の隠蔽に協力し、今も花岡母娘を警察から守ってくれるのは、靖子への思いがただならぬものだからに違いない。

工藤への嫌がらせをしているのは、やはり石神だろうか。だとすれば、彼は自分のことをどうするつもりなのだろう、と靖子は不安になった。共犯者だということを盾に、今後は彼女の生活を支配するつもりなのだろうか。彼女がほかの男性と結婚することはおろか、付き合うことさえも許さないということか。

石神のおかげで、富樫を殺した件について、靖子は警察の追及を逃れつつある。そのことについては感謝している。しかしそのせいで、彼の支配から一生逃れられないのだとしたら、何のための隠蔽工作だったのか。これでは富樫が生きていた頃と変わらない。相手が富樫から石神に変わっただけだ。しかも今度は、絶対に逃げられず、裏切ることもできない相手だ。

タクシーがアパートの前についた。車を降りてアパートの階段を上がっていく。石神の部屋の明かりはついていた。

部屋に入ると靖子は着替えを始めた。その直後、隣の部屋のドアを開閉する音が聞こえた。

美里が、「ほら」といった。「おじさん、今夜も待ってたんだよ」

「わかってるわよ」靖子の口調は、ついぶっきらぼうになってしまう。

数分後、携帯電話が鳴った。

はい、と靖子は応じた。

「石神です」予想通りの声が聞こえた。「今、大丈夫ですか」

「はい、大丈夫です」

「今日も特に変わったことはありませんでしたか」

「ええ、何も」

「そうですか。それはよかった」石神が太い息を吐くのがわかった。「じつは、あなたにお話ししておかねばならないことがあります。一つは、お宅のドアの郵便受けに、手紙の入った封筒を三通入れたことです。後で確認しておいてください」

「手紙……ですか」靖子はドアを見た。

「その手紙は、今後必要になりますから、大切に保管しておくこと。いいですね」

「あ、はい」

「手紙の用途については、メモに書いて一緒に入れておきました。いうまでもないことですが、そのメモは処分してください。わかりましたか」

「わかりました。今、確認しましょうか」

「後で結構です。それともう一つ、重大なお話が」そういってから石神は少し間を置いた。何かを躊躇っているように靖子には感じられた。

「何でしょうか」彼女は訊いた。

「こうした連絡ですが」彼は話し始めた。「この電話で最後とします。私から連絡することはありません。もちろん、あなたから私に連絡してもいけません。これから私にどのようなことが起ころうとも、あなたもお嬢さんも傍観者で居続けてください。それがあなた方を救う、唯一の手段です」

彼が話している途中から、靖子は激しい動悸を覚えていた。

「あの、石神さん、それはあの、一体どういうことなんでしょうか」

「いずれわかります。今は話さないほうがいいでしょう。とにかく、以上のことを決して忘れないでください。わかりましたね」

「待ってください。もう少し説明していただけないでしょうか」

靖子の様子にただならぬものを感じたらしく、美里も近寄ってきた。

「説明する必要はないと思います。では、これで」

「あ、でも」彼女がそういった時、電話はすでに切れていた。

草薙の携帯電話が鳴ったのは、岸谷と二人で車で移動している時だった。助手席に座っていた草薙は、リクライニングシートをいっぱいに倒した状態のまま、電話に出た。

「はい、草薙です」

「俺だ、間宮だ」班長のだみ声が聞こえた。「すぐ、江戸川署に来てくれ」

「何か見つかったんですか」

「そうじゃない。客だ。おまえに会いたいといっている男が来ている」

「客?」湯川かな、と一瞬思った。

「石神だ。花岡靖子の隣に住んでる高校の教師だよ」

「石神が? 俺に会いたいと? 電話じゃだめなのかな」

「電話じゃだめだ」間宮は強い語気でいった。「重要な用件で来ている」

「班長は内容を聞いたんですか」

「詳しいことはおまえにしか話さないといっている。だから急いで戻ってこい」

「そりゃあ、戻りますが」草薙は送話口を塞《ふさ》ぎ、岸谷の肩を叩いた。「江戸川署に来いってさ」

「自分が殺したといっている」間宮の声が聞こえた。

「えっ? 何ですか」

「富樫を殺したのは自分だといっている。つまり石神は自供しにきたんだ」

「まさかっ」草薙は激しい勢いで上体を起こした。

16

石神は全くの無表情で草薙を見つめていた。いやもしかしたら視線が向いているだけで、視覚認識はしていないのかもしれない。彼は心の目でどこか遠くを凝視していて、草薙はたまたま彼の前に座っているだけなのかもしれない。そう思わせるような、見事に感情を殺しきった顔を石神はしていた。

「あの男を最初に見たのは三月十日です」抑揚のない声で彼は話し始めた。「私が学校からアパートに戻ると、部屋のそばでうろうろしていました。花岡さんの部屋に用があるらしく、ドアの郵便受けを手で探ったりしていました」

「失礼、あの男というのは……」

「富樫という男です。もちろんその時には名前は知りませんでしたがね」石神はかすかに口元を緩めた。

取調室には草薙と岸谷がいた。岸谷は隣の机で記録をとっている。それ以外の刑事が立ち会うことは石神が拒否した。いろいろな人間から別々に質問されると、話がうまく整理できないから、という理由だった。

「気になったので声をかけてみました。すると男はあわてた様子で、花岡靖子に用があるのだと答えました。自分は別居中の亭主だ、ともいいました。私はすぐに嘘だとわかりましたが、油断させるため、信用したふりをしました」

「ちょっと待ってください。どうして、嘘だと思ったのですか」草薙は質問した。

石神は小さく息を吸い込んだ。

「私は花岡靖子のことは何でも知っているからです。彼女が離婚していることも、その別れた亭主から逃げ回っていることも、すべて承知しておりました」

「なぜそんなによく知っているんですか。あなたは隣人ではあるけれど、殆ど言葉を交わしたこともなく、単に彼女が働いている弁当屋の常連客にすぎない、と聞いていましたが」

「それは表向きの立場です」

「表向き、とは？」

石神は背筋を伸ばし、かすかに胸を反らせた。

「私は花岡靖子のボディガードなのです。彼女に近づいてくる腹黒い男たちから彼女を守るのが、私の役目です。しかしそれは世間にはあまり知られたくない。何しろ私には、高校の教師という顔がありますから」

「それで最初にお会いした時、殆ど付き合いがないと私にも話されたのですか」

草薙が訊くと、石神は小さく吐息をついた。

「あなたが私のところに来たのは、富樫が殺された事件について聞き込みをするためでしょう？それなのに私が本当のことを話せるわけがない。すぐに疑われてしまいますからね」

「なるほど」草薙は頷いた。「で、ボディガードだから、花岡靖子さんのことなら何でも知っている、とおっしゃるんですね」

「そういうことです」

「つまり以前から彼女とは密接な繋がりがあったと？」

「ありました。もちろん、何度もいいますが、世間には秘密の仲です。彼女には娘がいますが、その子にも気づかれぬよう、慎重に、かつ巧妙に連絡を取り合っていました」

「具体的には？」

「それはいろいろと方法があります。それを先にお話ししたほうがいいですか」石神が窺う目をした。

どうも奇妙だ、と草薙は感じていた。花岡靖子と秘密の関係にあったというのはじつに唐突だし、その背景も曖昧だ。しかし草薙としては、とにかく何があったのかを早く把握しておきたかった。

「それについては後で伺いましょう。富樫さんとのやりとりについて、もう少し詳しく話してください。彼が花岡靖子さんの亭主だという話を、とりあえず信じたふりをした、というところまでお聞きしましたが」

「彼は、花岡靖子がどこに出かけているか知らないか、と尋ねてきました。それで私はいったんです。彼女らは今、ここには住んでいない、仕事の都合で引っ越さざるをえなくなったとかで、少し前に出ていった、と。さすがに彼は驚いた様子でした。それで私に、今住んでいるところを知っているかと訊いてきました。知っている、と私は答えました」

「どこだといったんですか」

草薙の問いに、石神はにやりと笑った。

「篠崎です。旧江戸川べりにあるアパートだと教えました」

ここで篠崎が出てくるのか、と草薙は思った。

「でもそれだけではわからんでしょう？」

「当然富樫は詳しい住所も知りたがりました。私は奴を待たせて部屋に入り、地図を見ながら住所をメモに書き留めました。その住所というのは、下水処理場のあるところです。そのメモを渡すと、奴め、えらく喜んでいましたよ。助かったといっていました」

「なぜそんなところの住所を？」

「それはもちろん、人気のない場所に奴を誘いだすためです。あそこの下水処理場付近の地理は、以前から頭に入っていたんです」

「待ってください。するとあなたは、富樫さんに会った瞬間から、彼を殺すことを決めていたというんですか」質問しながら草薙は石神の顔を凝視した。驚くべき内容だった。

「もちろん、そうです」石神は動じずに答えた。「さっきもいいましたように、私は花岡靖子を守らねばならないんです。彼女を苦しめる男が現れたら、一刻も早く排除する必要がある。それが私の役目です」

「富樫さんは花岡さんを苦しめる、と確信していたのですか」

「確信していたのではなく、知っていたのです。花岡靖子はあの男に苦しめられていました。あいつから逃げて、私の隣にやってきたのです」

「そのことを花岡さんから直接聞いたのですか」

「ですから、特殊な連絡方法によって知らされたのです」

石神の口調には淀《よど》みがない。無論、ここへ出頭するまでに、頭の中を十分整理してきたに違いない。しかしその話には不自然なところが多い。少なくとも、今まで草薙が持っていた石神のイメージとはかけ離れていた。

「メモを渡して、それからどうしたんですか」とりあえず話の続きを聞くことにした。

「花岡靖子の勤め先を知っているか、と奴は訊いてきました。場所は知らないが飲食店だと聞いている、と私は答えました。さらに、仕事が終わるのは十一時頃で、それまでは娘も店で待っているらしい、と教えてやりました。もちろん、全部でたらめですが」

「でたらめを教えた理由は？」

「奴の行動を制限するためです。いくら人気の少ない場所とはいえ、あまり早い時間に行かれても困りますからね。花岡靖子の仕事が十一時までで、それまでは娘も帰らないと聞けば、奴もそれまでアパートを訪ねていくわけにはいかんでしょう」

「失礼」草薙は手を出して、彼の話を遮《さえぎ》った。「あなたはそれだけのことを、その瞬間にすべて考えたというんですか」

「そうです。それが何か？」

「いや……咄嗟によくそれだけのことを考えられるなと感心しているんです」

「大したことではないでしょう」石神は真顔に戻っていった。「奴はとにかく花岡靖子に会いたくて仕方がなかったわけです。だからこっちとしては、その気持ちを利用してやるだけでいい。難しいことじゃない」

「そりゃ、あなたにとってはそうかもしれないが」草薙は唇を舐めた。「で、その後は？」

「仕上げに私の携帯電話の番号を教えました。もしアパートが見つからなかったら連絡をくれ、といっておいたんです。ふつうそこまで親切にされたら、少しは怪しむものでしょうが、あの男は微塵《みじん》も疑っちゃいなかった。根本的に頭が悪いんでしょう」

「初対面の人間にいきなり殺意を抱かれるとは、誰も考えませんよ」

「初対面だからこそ、おかしいと思うべきなのです。ところがあの男は、でたらめな住所を書いたメモを大事そうにポケットに入れて、軽い足取りで立ち去りました。私はそれを確かめた後、部屋に入り、準備を始めました」そこまでしゃべってから、石神は徐《おもむろ》に湯飲み茶碗に手を伸ばした。ぬるくなっているはずの茶を、彼はうまそうに飲んだ。

「その準備とは？」草薙は先を促した。

「それほど大したものじゃありません。動きやすい格好に着替えて、時間が来るのを待ちました。その間、どうすれば確実に奴を殺せるか、考えました。いろいろな方法を検討した結果、絞殺を選びました。それが最も確実だと思ったからです。刺殺や撲殺だと、どんなふうに返り血を浴びるか予想できませんからね。一撃で仕留める自信もなかった。また絞殺なら、凶器も簡単です。とはいえ、丈夫なものでないといけないから、炬燵のコードを使うことにしました」

「なぜコードだったんですか。丈夫な紐ならほかにいくらでもあると思いますが」

「候補として、ネクタイや荷造り用のビニール紐なども考えました。しかしどちらも手の中で滑りやすいのです。また伸びるおそれもある。炬燵のコードが一番でした」

「するとそれを持って現場に？」

石神は頷いた。

「十時頃、家を出ました。用意したものは凶器のほかに、カッターナイフ、使い捨てライターです。ただ、駅に向かう途中、ゴミ捨て場に青いビニールシートが捨ててあるのを見つけたので、それも畳んで持っていくことにしました。それから電車で瑞江駅まで行き、そこからタクシーを拾って、旧江戸川のそばまで行きました」

「瑞江駅？　篠崎ではなく？」

「篠崎なんかで降りて、もしあの男と鉢合わせしたらまずいでしょう」石神はさらりと答えた。「タクシーを降りたのも、あいつに教えた場所からはかなり離れたところです。とにかく気をつけなければならないことは、目的を果たす時まで、あいつに見つかってはならないということでした」

「で、タクシーを降りてからは？」

「人目につかないよう注意しながら、あいつが現れるであろう場所を目指して歩きました。もっともそんなことを注意しなくても、ひとっこひとり歩いちゃいなかったのですが」石神はそういってまた茶を一口啜った。「私が堤防に到着して間もなく、携帯電話が鳴りました。あの男からでした。メモの住所の場所まで来たが、どうしてもアパートが見つからない、ということでした。私は、今どこにいるのかと尋ねました。あいつは丁寧に答えましたよ。私が電話で話しながら、近づいていっていることにも気づかずにね。私は、もう一度住所を調べてみるからちょっと待ってくれといって電話を切りましたが、その時には私はあいつの場所を確認していました。堤防の脇の草むらで、だらしなく座っていましたよ。私は足音をさせぬよう、ゆっくりと近づいていきました。あいつは全く気づきません。気づいたのは、私が真後ろに立った時です。しかしその時には、私は電気コードをあいつの首にかけていました。あいつは抵抗しましたが、思い切り絞めると、すぐにぐったりとしました。じつに簡単なものでした」石神は湯飲み茶碗に目を落とした。空だった。「おかわりをいただいてもいいですか」

岸谷が立ち上がり、薬缶の茶を注いだ。どうも、と石神は頭を下げた。

「被害者は体格がよく、まだ四十代ですよ。必死で抵抗されたら、そう簡単には絞められないと思いますが」草薙はいってみた。

石神は無表情のまま、目だけを細めた。

「私は柔道部の顧問です。後ろから襲いかかれば、相手が少々の大男でも、その動きを止めることは容易です」

草薙は頷き、石神の耳に目を向けた。柔道家たちの勲章ともいえる、カリフラワー状態になっていた。同じような耳を持った者は、警察官にも多い。

「殺した後は?」草薙は訊いた。

「やらなければならないことは、死体の身元を隠すことでした。身元がわかれば、必ず花岡靖子に疑いがかかると思いましたから。まず、服を脱がしました。持参してきたカッターナイフを使って、切りながら脱がしたんです。その後、顔を潰しました」石神は平坦な口調でいった。「大きめの石を拾ってきて、ビニールシートをかぶせた上から、何度か殴りました。回数は覚えていません。たぶん、十回ぐらいじゃないかと思います。それから使い捨てライターで指紋を焼きました。それだけのことをやった後、脱がせた服を持って、その場を離れました。ところが堤防を離れる時、ちょうど一斗缶が見つかったので、その中に衣類を入れ、燃やすことにしました。しかし思ったよりも火が大きく、こんなことをしていたら人が来るかもしれないと思い、まだ燃えている途中でしたが、急いで立ち去りました。バス通りまで歩いてタクシーを拾い、一旦東京駅に行ってから、別のタクシーに乗り換えて帰宅しました。アパートに着いた時には十二時を過ぎていたと思います」そこまでしゃべった後、石神はふうーっと太い吐息をついた。「私のやったことは以上です。使った電気コード、カッターナイフ、使い捨てライターは、すべて部屋にあります」

岸谷が要点を記録していくのを横目で見ながら、草薙は煙草をくわえた。火をつけ、煙を吐きながら石神の顔を見つめる。石神は何の感情も想起させない目をしていた。

彼の話に大きな疑問点はない。死体の様子や現場の状況も、警察が把握している内容と一致している。それらの多くは報道されていないことだから、作り話だと考えるほうが不自然だ。

「あなたが殺したということを、花岡靖子さんに話しましたか」草薙は訊いた。

「話すわけがないでしょう」石神は答えた。「そんなことをして、もし彼女が他人にしゃべったら大変ですからね。女というのは、なかなか秘密を守ってくれないものです」

「では事件について彼女と話し合ったこともないのですか」

「もちろんそうです。彼女との関係を、あなた方警察に気づかれてはまずいので、極力接触しないようにしてきました」

「先程あなたは、花岡靖子さんと、誰にも気づかれない方法で連絡を取り合っていたといいましたよね。それはどういう方法ですか」

「いくつかあります。一つは、彼女が話して聞かせてくれるのです」

「ということは、どこかで会っていたということですか」

「そんなことはしない。人目につくじゃないですか。彼女は自分の部屋で話すのです。それを私が機械を通じて聞きます」

「機械？」

「私の部屋の壁に、彼女たちの部屋に向けて集音器を取り付けてあります。それを使うんです」

岸谷が手を止めて顔を上げた。彼のいいたいことは草薙にもわかった。

「それは盗聴、ですね」

石神は心外そうに眉をひそめ、首を振った。

「盗み聞きしているのではありません。彼女からの訴えを聞いているんです」

「じゃあ、花岡さんはその機械の存在を知っているのですか」

「機械のことは知らないかもしれない。でも、こちらの壁に向かって話しているはずです」

「あなたに話しかけているというんですか」

「そうです。もっとも、部屋には娘さんがいるから、あからさまに私に向けて話すということはできません。娘さんと会話しているように見せかけて、じつは私にメッセージを発してくれていたのです」

草薙の指に挟んだ煙草が、半分以上灰になっていた。彼はそれを灰皿に落とした。岸谷と目が合った。後輩刑事は当惑した顔で首を捻っている。

「花岡靖子さんがあなたにそういったのですか。娘と話しているように装って、じつはあなたに話しかけているのだと」

「いわなくてもわかります。彼女のことなら何でも」石神は頷いた。

「つまり、彼女がそういったわけではないのですね。あなたが勝手にそう思い込んでいるだけじゃないんですか」

「そんなこと、あるわけがない」無表情だった石神が、わずかに色をなした。「別れた亭主に苦しめられていることも、彼女からの訴えによって知ったのです。彼女が娘にそんなことを訴えたって、何の意味もないじゃないですか。私に聞かせたくて、そういう話をしたのです。何とかしてくれと私に頼んでいたんですよ」

草薙は彼をなだめるように手を動かし、もう一方の手で煙草の火を消した。

「ほかにはどんな方法で連絡をとっていたんですか」

「電話です。毎晩、電話をかけました」

「彼女のところに?」

「彼女の携帯電話に、です。といっても、電話で話すわけではありません。私はただ呼出音を鳴らすだけです。もし彼女のほうに緊急の用がある場合は電話に出る。用がなければ、出ない。私は呼出音を五回聞いてから、電話を切るようにしていました。二人の間で、そのように決めてあったのです」

「二人の間で？　ということは、そのことは彼女も承知していたと？」

「そうです。以前、そのように話し合って決めたのです」

「では、花岡さんに確認してみましょう」

「それがいい。そのほうが確実だ」自信に満ちた口調でいい、石神はぐいと顎を引いた。

「今の話はこれから何度も聞かせてもらうことになります。正式な供述書を作るのもこれからですから」

「ええ、何度でもしますよ。仕方のないことです」

「最後に伺っておきたいのですが」草薙は机の上で指を組んだ。「なぜ出頭を？」

石神は大きく息を吸い込んだ。

「出頭しないほうがよかったですか」

「そんなことを訊いてるんじゃない。出頭するからには、それなりの理由なり、きっかけなりがあるでしょう。それを知りたいんです」

するとと石神はふんと鼻を鳴らした。

「そんなこと、あなたの仕事には何の関係もないことでしょう。犯人が自責の念に駆られて出頭してきた、それでいいんじゃないんですか。それ以外の理由が必要ですか」

「あなたを見ていると、自責の念に駆られているようには思えないんですが」

「罪の意識があるか、と問われれば、少し違うといわざるをえないでしょう。でも私は後悔している。あんなことをしなければよかった。あんなふうに裏切られるとわかっていたなら、人殺しなんかしなかった」

「裏切られる？」

「あの女は……花岡靖子は」石神は顎を少し上げて続けた。「私を裏切ったんです。ほかの男と付き合おうとしている。私が元の亭主を始末してやったというのに。彼女から悩みを聞かされていなければ、あんなことはしなかった。彼女は前に話していたんですよ。あんな男、殺してやりたい、とね。私は彼女の代わりに殺したんだ。いわば、彼女だって共犯なんだ。警察は、花岡靖子も逮捕すべきです」

石神の話の裏づけを取るために、彼の部屋が捜索されることになった。その間草薙は岸谷と共に、花岡靖子から話を聞くことにした。彼女はすでに帰宅していた。美里も一緒だったが、別の刑事が彼女を外に連れ出した。刺激的な話を聞かせたくないからではなく、美里にも事情聴取が行われるのだ。

石神が出頭したことを知ると、靖子は大きく目を見張り、息を止めた。声を出せないでいた。

「意外でしたか」草薙は彼女の表情を観察しながら訊いた。

靖子はまず首を振り、それからようやく口を開いた。

「思ってもみませんでした。だって、どうしてあの人が富樫を……」

「動機に心当たりはありませんか」

草薙の問いかけに、靖子は迷うような躊躇うような、複雑な表情を見せた。口に出したくない何かがあるように見えた。

「石神はあなたのためにやったといっています。あなたのために殺したと」

靖子は辛そうに眉をひそめ、はあーっと大きく息を吐いた。

「やはり思い当たることがあるようですね」

彼女は小さく頷いた。

「あの人があたしに特別な感情を持っているらしいことはわかっていました。でもまさか、そんなことをするなんて……」

「彼は、あなたとはずっと連絡を取り合っていたというんですがね」

「あたしが？」靖子は表情を険しくした。「そんなことしてません」

「でも、電話はあったでしょ。しかも毎晩」

草薙は石神の話を靖子に聞かせた。彼女は顔を歪めた。

「あの電話をかけてたのは、やっぱりあの人だったんですか」

「知らなかったんですか」

「そうじゃないか、と思ったことはありますけど、確信はありませんでした。だって名乗らなかったから」

靖子によれば、最初に電話がかかってきたのは三か月ほど前らしい。相手は名乗らず、いきなり靖子の私生活に干渉するようなことを語り始めた。その内容は、彼女のことを日頃から観察していなければわからないようなものばかりだった。ストーカーだ――彼女はそう気づき、怯えた。心当たりはなかった。それから何度か電話がかかってきたが、彼女は出ないようにしていた。だがある時、うっかり出てしまったところ、相手の男はこんなふうにいいだした。

「君が忙しくて電話に出られないのはわかった。だったらこうしようじゃないか。僕は毎晩電話をかけるから、もし君が僕に用がある時には出てくれ。呼出音を最低五回は鳴らすから、それまでに出てくれたらいい」

靖子は承諾した。それ以来、本当に毎晩のように電話が鳴った。相手は公衆電話からかけてくるようだ。その電話には出ないようにした。

「声で石神だとわからなかったのですか」

「それまで殆ど言葉を交わしたことがなかったので、それは無理でした。電話で話したのも最初の頃だけですから、今ではどういう声だったかもよく覚えていないんです。それに、あの人がそういうことをするようには、どうしても思えませんでした。だって高校の先生なんですよ」

「教師といったって、今はいろいろいますよ」岸谷が草薙の横からいった。それから彼は口を挟んだことを詫びるように俯いた。

この後輩刑事が、事件発生当初から花岡靖子を庇っていたことを草薙は思い出した。石神が出頭したことで、安堵しているに違いなかった。

「電話のほかに何かありましたか」草薙は訊いた。

ちょっと待ってください、といって靖子は立ち上がり、戸棚の引き出しから封筒を出してきた。

それは三通あった。差出人の名はなく、表に、花岡靖子様へ、とだけある。住所は書いていない。

「これは？」

「ドアの郵便受けに入っていたんです。ほかにもあったんですけど、捨ててしまいました。でも何かあった時に、こういう証拠品を残しておいたほうが裁判で有利になるとテレビで知って、気持ちが悪かったんですけど、この三通だけは残しておいたんです」

拝見します、といって草薙は封筒を開けた。

封筒にはいずれも便箋が一枚ずつ入っていた。そこにプリンタで文章が印刷されている。文面はいずれも長いものではない。

『最近、少し化粧が濃くなっているようだ。服も派手だ。そんなのは貴女らしくない。もっと質素な出で立ちのほうがよく似合う。それに帰りが遅いのも気になる。仕事が終わったら、すぐに帰りなさい。』

『何か悩みがあるんじゃないのか。もしそうなら、遠慮なく私に話してほしい。そのために毎晩電話をかけているんだ。私なら貴女にアドバイスできることはたくさんある。ほかの人間は信用できない。信用してはいけない。私のいうことだけを聞いていればいい。』

『不吉な予感がする。貴女が私を裏切っているのではないか、というものだ。そんなことは絶対にないと信じているが、もしそうなら私は貴女を許さないだろう。なぜなら私だけが貴女の味方だからだ。貴女を守れるのは私しかいない。』

草薙は読み終えた後、便箋を元の封筒に戻した。

「お預かりしてもいいですか」

「どうぞ」

「これに類することで、ほかに何か変わったことは？」

「あたしのほうには、特にないんですけど……」靖子は口ごもった。

「お嬢さんに何か？」

「いえ、そうじゃなくて、工藤さんに……」

「工藤邦明さんですね。あの人に何か？」

「先日お会いした時、おかしな手紙を受け取ったとおっしゃってました。差出人が不明で、あたしに近づくなという内容だったとか。隠し撮りされた写真も同封されていたそうです」

「あの人のところにね……」

これまでの流れからすると、その手紙の差出人は石神としか考えられない。草薙は湯川学のことを思い浮かべていた。彼は学者としての石神を尊敬していたようだった。そんな友人がストーカーまがいのことをしていたと知ったら、どれほどショックを受けるだろう。

ドアをノックする音がした。はい、と靖子が答えると、ドアが開いて若い刑事が顔を見せた。石神の部屋を捜索しているグループの一人だ。

「草薙さん、ちょっと」

「わかった」草薙は頷いて立ち上がった。

隣の部屋に行くと、間宮が椅子に座って待っていた。机の上には電源が入ったままのパソコンがある。若い刑事たちは段ボール箱に様々なものを詰めている。

間宮は本棚の横の壁を指差した。「これを見てみろ」

「おっ」草薙は思わず声を出した。

二十センチ角ぐらいの大きさで、壁紙が剝がされ、さらに壁の板が切り取られていた。さらにそこから細いコードが出ている。コードの先にはイヤホンがついていた。

「イヤホンをつけてみろ」

間宮にいわれ、草薙はイヤホンを耳に入れた。途端に話し声が聞こえてきた。

(石神のいっていることの裏づけが取れれば、後はもう話は早いと思います。今後は花岡さんたちに迷惑をおかけすることも少なくなるでしょう)

岸谷の声だ。やや雑音が混じっているが、壁の向こうとは思えないほどくっきりと聞こえる。

(……石神さんの罪はどうなるんでしょう?)

(それは裁判の結果次第です。でも殺人罪ですから、死刑にはならなくても、簡単に出てこられるようなことは絶対にありません。だから花岡さんがつきまとわれることもないはずです)

刑事のくせにしゃべりすぎだと思いながら草薙はイヤホンを外した。

「後で花岡靖子にこれを見せてみよう。石神によれば、彼女も承知していたはずだということだが、まさかそんなことはないだろう」間宮がいう。

「石神が何をしていたのか、花岡靖子は何も知らなかった、ということですか」

「おまえと靖子のやりとりは、これで聞かせてもらったよ」間宮は壁の集音器を見てにやりと笑った。「石神は典型的なストーカーだ。靖子と気持ちが通じ合っていると勝手に思い込んで、彼女に近づいてくる男を全て排除しようとした。元の亭主なんてのは、最も憎むべき存在だったんじゃないか」

「はあ……」

「何だ、浮かない顔だな。何が気に入らない？」

「そういうわけではないんですが、石神という男について、自分なりに人間性を把握していたつもりですから、それとあまりにかけ離れた供述内容なので、戸惑っているんです」

「人間なんてものは、いくつもの顔を持っているものだ。ストーカーの正体は、大抵の場合、意外な人物だ」

「それはわかっていますが……。集音器のほかに何か見つかりましたか」

間宮は大きく頷いた。

「炬燵のコードが見つかった。ホーム炬燵と一緒に箱に入っていた。しかも袋打ちコードだ。絞殺に使われたものと同一だ。被害者の皮膚の一部でも付着していたら決まりだ」

「ほかには？」

「こいつを見せてやろう」間宮はパソコンのマウスを動かした。だが手つきがぎこちない。たぶん誰かに即席で教わったのだろう。「これだ」

文書作成ソフトが立ち上がっていた。画面に文章を書いた頁《ページ》が表示されている。草薙は覗き込んだ。

それは次のような文章だった。

『貴女が頻繁に会っている男性の素性をつきとめた。写真を撮っていることから、そのことはおわかりいただけると思う。

貴女に訊きたい。この男性とはどういう仲なのか。

もし恋愛関係にあるというのなら、それはとんでもない裏切り行為である。

私が貴女のためにどんなことをしたと思っているのだ。

私は貴女に命じる権利がある。即刻、この男性と別れなさい。

さもなくば、私の怒りはこの男性に向かうことになる。

この男性に富樫と同じ運命を辿らせることは、今の私には極めて容易である。その覚悟もあるし、方法も持っている。

繰り返すが、もしこの男性と男女の関係にあるのならば、そんな裏切りを私は許さない。必ず報復するだろう。』

17

窓際に立った湯川は、そこからじっと外を見つめた。その背中には、無念な思いと孤独感のようなものが漂っていた。久しぶりに出会えた旧友の犯行を知ってショックを受けているともとれるが、何か別の感情が彼を支配しているように草薙には見えた。

「それで」湯川が低く発した。「君はその話を信じたのか。その石神の供述を」

「警察としては、疑う理由がない」草薙はいった。「奴の証言に基づいて、様々な角度から裏を取っている。今日俺は、石神のアパートから少し離れたところにある公衆電話の周辺で聞き込みをしてきた。奴の話では、そこから毎晩のように花岡靖子に電話をかけていたということだった。公衆電話のそばに雑貨屋があるんだが、そこの主人が石神らしき人物を見かけていた。最近じゃ公衆電話を使う人間は少ないので、印象に残っていたらしい。電話しているところを何度も目撃した、と雑貨屋の主人はいっている」

湯川がゆっくりと草薙のほうを向いた。

「警察としては、なんていう曖昧な表現は使わないでくれ。君は信じたのか、と訊いているんだ。捜査方針なんかどうでもいい」

草薙は頷き、ため息をついた。

「正直いうと、しっくりこない。話に矛盾はない。筋は通っている。だけど、何となく納得できない。単純な言い方をすると、あの男があんなことをするとは思えない、という気持ちだ。だけど、それを上司にいったところで、相手にはしてもらえない」

「警察のお偉方としては、無事に犯人が捕まったのだから、それでいいじゃないか、というところなんだろうな」

「はっきりとした疑問点がたとえ一つでもあれば話が違うんだが、見事に何もない。完璧だ。たとえば自転車の指紋を消さなかった点については、そもそも被害者が自転車に乗ってきたこと自体を知らなかったと答えている。これまたおかしい点はない。すべての事実は石神の供述が正しいと語っている。そんな中では、俺が何をいっても捜査が振り出しに戻ったりはしない」

「要するに、納得はできないが、流れのままに石神を今回の事件の犯人だと結論づける、というわけか」

「そういう嫌味な言い方はやめてくれ。そもそも、感情より事実を重視するのはおまえの主義じゃなかったのか。論理的に筋が通っている以上、気持ちでは納得できなくても受け入れなくてはならないってのは、科学者の基本なんだろ。いつもおまえがいってることだぜ」

湯川は軽く首を振りながら、草薙と向き合って座った。

「最後に石神と会った時、彼から数学の問題を出された。P≠NP問題というものだ。自分で考えて答えを出すのと、他人から聞いた答えが正しいかどうかを確かめるのとでは、どちらが簡単か——有名な難問だ」

草薙は顔をしかめた。

「それ、数学か。哲学的に聞こえるけどな」

「いいか。石神は一つの答えを君たちに提示した。それが今回の出頭であり、供述内容だ。どこから見ても正しいとしか思えない答えを、頭脳をフル回転させて考案したんだ。それをそのままはいそうですかと受け入れることは、君たちの敗北を意味する。本来ならば、今度は君たちが、全力をあげて、彼の出した答えが正しいかどうかを確かめなければならない。君たちは挑まれているし、試されているんだ」

「だからいろいろと裏づけを取っているじゃないか」

「君たちのしていることは、彼の証明方法をなぞっているだけだ。君たちがすべきことは、ほかに答えがないかどうかを探ることなんだ。彼の提示した答え以外には考えられない——そこまで証明して初めて、その答えが唯一の解答だと断言できる」

強い口調から、湯川の苛立ちを草薙は感じた。常に沈着冷静なこの物理学者が、そんな表情を見せることはめったにない。

「おまえは石神が嘘をついているというんだな。犯人は石神じゃないと」

草薙がいうと、湯川は眉をひそめ、目を伏せた。その顔を見つめながら草薙は続けた。

「そう断言できる根拠は何だ？　おまえなりに推理していることがあるなら、俺に話してほしい。それとも単に、昔の友人だから殺人犯だと思いたくないというだけのことなのか」

湯川は立ち上がり、草薙に背中を向けた。湯川、と草薙は呼びかけた。

「信じたくないのは事実だ」湯川はいった。「前にもいったと思うが、あの男は論理性を重視する。感情は二の次だ。問題解決のために有効と判断すれば、どんなこともやってのけるだろう。しかしそれにしても殺人とは……しかもそれまで自分とまるで関わりのない人間を殺すなんてのは……想像外だ」

「やっぱりそれだけが根拠なのか」

すると湯川は振り返り、草薙を睨みつけてきた。だがその目には怒りより、悲しみと苦しみの色のほうが濃く出ていた。

「信じたくはないが事実として受け入れざるをえない、ということが、この世にはある。それはよくわかっている」

「それでもなお、石神は無実だというのか」

草薙の問いに湯川は顔を歪め、小さくかぶりを振った。

「いや、そうはいわない」

「おまえのいいたいことはわかっている。富樫を殺したのはあくまでも花岡靖子で、石神は彼女を庇っているというんだろ。しかし、調べれば調べるほど、その可能性は低くなってくる。石神がストーカー行為を働いていたことは、いくつもの物証が示している。いくら庇うためとはいえ、そこまでの偽装ができるとはとても思えない。何より、殺人の罪を肩代わり出来る人間なんて、この世にいるか？　靖子は石神にとって家族でも妻でもない。じつは恋人ですらない女なんだぜ。庇う気があったり、実際に犯行の隠匿に手を貸したとしても、それがうまくいかなかったとなれば観念する。それが人間というものだ」

湯川が、不意に何かに気づいたように目を見張った。

「うまくいかなかった時には観念する――それがふつうの人間だ。最後の最後まで庇い続けるなんてのは至難の業だ」湯川は遠くを見つめる目をして呟いた。「石神だってそうだ。そのことは彼自身にもよくわかっていたんだ。だから……」

「なんだ？」

「いや」湯川は首を振った。「何でもない」

「俺としては、石神を犯人だと考えざるをえない。何か新しい事実が出てこないかぎり、捜査方針が変わることもないだろう」

これには答えず、湯川は自分の顔をこすった。長い息を吐いた。

「彼は……刑務所で過ごす道を選んだということか」

「人を殺したんだとしたら、それは当然のことだ」

「そうだな……」湯川は項垂れ、動かなくなった。やがてその姿勢のままいった。「すまないが、今日は帰ってくれないか。少し疲れた」

どう見ても湯川の様子はおかしかった。草薙は問い質《ただ》したかったが、黙って椅子から腰を上げた。実際、湯川はひどく消耗しているように思えたからだ。

草薙が第十三研究室を出て、薄暗い廊下を歩いていると、階段を一人の若者が上がってきた。少し痩せた、やや神経質そうな顔をした若者のことを草薙は知っていた。湯川の下で学んでいる、常磐《ときわ》という大学院生だった。以前草薙が湯川の留守中に訪ねた際、湯川の行き先は篠崎ではないか、と教えてくれた若者だ。

常磐のほうも草薙に気づいたらしく、小さく会釈してから通りすぎようとした。

「あ、ちょっと」草薙は声をかけた。戸惑った表情で振り返った常磐に、彼は笑顔を向けた。「少し訊きたいことがあるんだけど、時間あるかな?」

常磐は腕時計を見てから、少しだけなら、と答えた。

物理学研究室のある学舎を出て、主に理系の学生たちが使う食堂に入った。自動販売機でコーヒーを買い、テーブルを挟んで向き合った。

「君たちの研究室で飲むインスタントより、よっぽどうまいな」紙コップのコーヒーを一口啜ってから草薙はいった。大学院生の気持ちをほぐすためだった。

常磐は笑ったが、頬はまだ強張っているようだった。

世間話を少ししようかと思ったが、この調子では無意味だと判断し、草薙は本題に入ることにした。

「訊きたいことというのは、湯川助教授のことなんだ」草薙はいった。「最近、何か変わったことはなかったかな」

常磐は困惑している。質問の仕方がまずかったらしいと草薙は思った。

「大学の仕事とは関係のないことで、何か調べているとか、どこかへ出かけていったとか、そういうことはなかったかな」

常磐は首を捻った。真剣に考えているように見えた。

草薙は笑ってみせた。

「もちろん、奴が何かの事件に関係しているとか、そういうことじゃないんだ。ちょっと説明するのは難しいんだけど、どうも湯川は俺に気を遣って、何か隠していることがある感じなんだ。君も知っていると思うけど、あの男はなかなかの偏屈だからね」

こんな説明でどれだけのことが伝わったかは不明だったが、大学院生はやや表情を崩して頷いた。偏屈、という点だけは同意できたのかもしれない。

「何かお調べになってたのかどうかはわかりませんけど、何日か前に先生は図書館に電話しておられましたよ」常磐はいった。

「図書館？　大学の？」

常磐は頷いた。

「新聞があるかどうか、問い合わせておられたようでした」

「新聞？　図書館なんだから、新聞ぐらいは置いてるだろ」

「まあそうなんですが、古い新聞をどの程度保管しているのか、湯川先生は知りたかったみたいですよ」

「古い新聞か……」

「といっても、そんなに前の新聞のことではなかったようです。今月分の新聞は全部すぐに読めますか、というような訊き方をされてたと思います」

「今月分ねえ……。それでどうなのかな。読めたのかな」

「図書館に置いてあったんだと思います。それからすぐに先生は図書館に行かれたようですから」

草薙は頷くと常磐に礼をいい、まだコーヒーが半分近く残っている紙コップを手に立ち上がった。

帝都大学の図書館は三階建ての小さな建物だ。草薙は自分がこの大学の学生だった頃、ほんの二、三度しか図書館を訪れたことがない。だから補修工事がなされたことがあるのかどうかもよくわからなかった。彼の目には、まだ新しい建物に見えた。

中に入ってすぐのカウンターに係の女性がいたので、彼は湯川助教授が新聞を調べていた件について尋ねてみた。彼女は不審そうな顔をした。

草薙は仕方なく警察手帳を出した。

「湯川先生がどうとかじゃないんです。ただ、その時にどんな記事をお読みになっていたかを知りたいだけなんです」不自然な質問の仕方だと思ったが、それ以外の表現を思いつかなかった。

「三月中の記事を読みたいのだけど、ということだったと思います」係の女性は慎重な口調でいった。

「三月中の、どんな記事ですか」

「さあ、それはちょっと」そういってから彼女は、何かを思い出したように軽く口を開けた。

「社会面だけでもいい、とおっしゃったように思います」

「社会面？　ええと、それで新聞はどこに？」

こちらへどうぞ、と彼女が案内してくれたのは、平たい棚の並んでいるところだった。その棚の中に、新聞が重ねて収められている。十日ごとに入れてある、と彼女はいった。

「こちらでは過去一か月分の新聞しかありません。それより古いものは処分するんです。前は保管していたんですけど、今はインターネットの検索サービスなんかで、過去の記事は読めますから」

「湯川は……湯川先生は一か月分でいいとおっしゃったんですね」

「ええ。三月十日以降でいいと」

「三月十日？」

「はい。たしか、そうだったと思います」

「この新聞、見せてもらっていいですか」

「どうぞ。終わったら声をかけてください」

係の女性が背中を向けると同時に、草薙は新聞の束を引き出し、そばのテーブルに置いた。三月十日の社会面から見ていくことにした。

三月十日は、いうまでもなく富樫慎二が殺された日だ。やはり湯川はあの事件について調べるために図書館に来たのだ。だが新聞で何を確かめようとしたのか。

草薙は事件に関する記事を探した。最初に載ったのは三月十一日の夕刊だ。その後、遺体の身元が判明したことについて、十三日の朝刊に載っている。だがそれを最後に、続報は途絶えてしまう。次に載っているのは、石神が出頭したことを知らせる記事だ。

湯川はこれらの記事のどのあたりに注目したのか。

草薙は数少ない記事を念入りに、何度も読み返した。いずれも大した内容ではない。湯川は草薙によって、事件について、これらの記事よりもっと多くの情報を得ている。改めて記事などを読む必要はないはずなのだ。

草薙は新聞を前に、腕組みをした。

そもそも、事件のことを調べるのに、湯川ほどの男が新聞記事を頼りにするとは思えなかった。

毎日のように殺人事件が起きる現状では、何か大きな進展でもないかぎり、一つの事件をいつまでも新聞が取り上げ続けるということはめったにない。富樫が殺された事件にしても、世間から見れば珍しい出来事ではない。そのことを湯川がわかっていないはずがないのだ。

だがあの男は無意味なことをする人間ではない——。

湯川にはああいったが、やはり草薙の中には、石神を犯人と断定しきれない気持ちが残っている。自分たちが誤った道に迷い込んでいるのでは、という不安は拭いきれない。何がどう間違っているのか、湯川にはわかっているような気がしてならなかった。これまでもあの物理学者は、何度か草薙たち警察陣を助けてくれた。今回も有効な助言を持っているのではないか。持っているのだとしたら、なぜそれを聞かせてくれないのか。

草薙は新聞を片づけ、先程の女性に声をかけた。

「お役に立ったでしょうか」彼女は不安そうに訊いてきた。

「ええまあ」草薙は曖昧に答えた。

そのまま彼が出ていこうとした時、係の女性がいった。「湯川先生は地方新聞も探しておられたみたいですけど」

「えっ？」草薙は振り返った。「地方新聞？」

「はい。千葉や埼玉の地方新聞は置いてないのかって訊かれました。置いてませんと答えましたけど」

「ほかにはどんなことを？」

「いえ、尋ねられたのはそれだけだったと思います」

「千葉とか埼玉……」

草薙は釈然としないまま図書館を出た。湯川の考えていることがまるでわからなかった。なぜ地方の新聞が必要なのか。それとも、彼が事件について調べているというのは草薙の勝手な思い込みで、その目的は事件とは全く関係ないのか。

考えを巡らせながら、草薙は駐車場に戻った。今日は車で来ていた。

運転席に乗り込み、エンジンをかけようとした時だった。目の前の学舎から湯川学が出てきた。白衣は着ておらず、濃紺のジャケットを羽織っている。思い詰めたような表情で、周りには全く目をくれず、真っ直ぐに通用門に向かっていく。

湯川が門を出て左に曲がるのを見届けてから、草薙は車を発進させた。ゆっくりと門から出ると、湯川はタクシーを捕まえているところだった。そのタクシーが走りだすのと同時に、草薙も道路に出た。

独身の湯川は、一日の大半を大学で過ごしている。自宅に帰ってもやることがないし、読書もスポーツも大学にいたほうがやりやすい、というのが彼の言い分だった。食事をとるのも楽だ、といっていたこともある。

時計を見ると、まだ五時前だ。彼がこんなに早い時間帯に帰宅するとは思えなかった。

尾行しながら草薙は、タクシーの会社と車番号を記憶した。万一途中で見失った場合でも、湯川をどこで降ろしたか、後で調べられるからだ。

タクシーは東に向かっていた。道は少し混んでいる。草薙の車との間に、何台かの車が出たり入ったりしたが、幸い信号などで引き離されることはなかった。

やがてタクシーは日本橋を通過した。間もなく隅田川を渡るというところで止まった。新大橋の手前だ。その先には石神たちのアパートがある。

草薙は車を路肩に寄せ、様子を窺った。湯川は新大橋の脇にある階段を下りていく。アパートに行くのではなさそうだ。

草薙は素早くあたりを見回し、車を止められそうな場所を探した。幸い、パーキングメーターの前が空いていた。そこに駐車すると、急いで湯川の後を追った。

湯川は隅田川の下流に向かってゆっくりと歩いていた。何か用があるようには見えず、散歩しているような歩調だった。彼は時折、ホームレスたちのほうに目を向けた。しかし立ち止まることはない。

足を止めたのは、ホームレスたちの住居が途切れたあたりでのことだ。彼は川縁に作られた柵に肘をついた。それから不意に草薙のほうに顔を巡らせた。

草薙は少したじろいだ。しかし湯川には驚いている気配はない。薄く笑っているほどだった。どうやらずいぶん前から尾行に気づいていたようだ。

草薙は大股で彼に近づいた。「わかってたのか」

「君の車は目立つからな」湯川はいった。「あんなに古いスカイライン、今はめったに見かけない」

「つけられてるとわかったから、こんなところで降りたのか。それとも、最初からここが目的地だったのか」

「それはどちらも当てはまるし、少し違うともいえる。当初の目的地はこの先だった。でも君の車に気づいて、少しだけ降りる場所を変更した。君をここに連れてきたかったからな」

「俺をこんなところに連れてきて、どうしようっていうんだ」草薙はさっと周りを見回した。

「僕が最後に石神と言葉を交わしたのが、この場所だったんだ。その時僕は彼にこういった。この世に無駄な歯車なんかないし、その使い道を決められるのは歯車自身だけだ、とね」

「歯車？」

「その後、事件に関する僕の疑問をいくつか彼にぶつけてみた。彼の態度はノーコメントというものだったが、僕と別れた後、彼は答えを出した。それが出頭だった」

「おまえの話を聞いて、観念して出頭したというのか」

「観念……か。まあ、ある意味観念なのかもしれないが、彼としては最後の切り札を出したというところじゃないのかな。その切り札を、じつに入念に用意していたようだから」

「石神にはどういう話をしたんだ」

「だからいってるじゃないか。歯車の話だ」

「その後に、いろいろと疑問をぶつけたんだろ？　それを訊いてるんだ」

するると湯川はどこか寂しげな笑みを浮かべ、ゆらゆらと頭を振った。

「そんなものはどうでもいい」

「どうでもいい？」

「重要なのは歯車の話だ。彼はそれを聞いて出頭する決心をしたんだ」

草薙は大きくため息をついた。

「大学の図書館で新聞を調べただろ。目的はなんだ？」

「常磐君から聞いたのか。僕の行動まで探り始めたらしいな」

「俺だってこんなことはしたくなかった。おまえが何も話してくれないからだ」

「別に気を悪くしているわけじゃない。それが君の仕事なんだから、僕のことでも何でも調べてくれて結構だ」

草薙は湯川の顔を見つめてから頭を下げた。

「頼む、湯川。もうそんな思わせぶりなことはやめてくれ。おまえは何か知っているんだろう？それを教えてくれ。石神は真犯人じゃないんだろ。だったら、奴が罪をかぶることは理不尽だと思わないのか。昔の友人を殺人犯にしたいわけじゃないだろ」

「顔を上げてくれ」

湯川にいわれ、草薙は彼を見た。はっとした。辛そうに歪められた物理学者の顔があった。彼は額に手をやり、じっと目を閉じた。

「もちろん僕だって彼を殺人犯なんかにしたくない。だけど、もうどうしようもないんだ。一体、どうしてこんなことに……」

「おまえ、何をそんなに苦しんでるんだ。なんで俺に打ち明けてくれないんだ。友達だろうが」

すると湯川は目を開け、厳しい顔のままいった。「友達であると同時に刑事だ」

草薙は言葉を失った。この長年の友人との間に、初めて壁の存在を感じた。刑事であるがゆえに、これまで苦悩の表情など見せたことのない友人から、その理由を聞き出すことさえできないのだ。

「これから花岡靖子のところへ行く」湯川がいった。「一緒に来るかい？」

「行ってもいいのか」

「構わない。ただし、口は挟まないでくれるか」

「……わかった」

くるりと踵を返し、湯川は歩き始めた。その後を草薙はついていく。湯川の当初の目的地は弁当屋の『べんてん亭』だったらしい。花岡靖子と会って何を話すつもりなのか、今すぐに問い質したい気持ちだったが、草薙は黙って歩いた。

清洲橋の手前で湯川は階段を上がっていく。草薙がついていくと、階段の上で湯川が待っていた。

「そこにオフィスビルがあるだろ」湯川はそばの建物を指差した。「入り口にガラスドアがある。見えるかい」

草薙はそちらに目を向けた。ガラスドアに二人の姿が映っていた。

「見えるけど、それがどうかしたのか」

「事件直後に石神と会った時も、こうして二人でガラスに映った姿を眺めた。といっても、僕は気づかなかった。石神にいわれて、見たんだ。あの直前までは、彼が事件に関与している可能性など、全く考えなかった。僕は久しぶりに好敵手と再会できたことで、ちょっと有頂天にさえなっていた」

「ガラスに映った姿を見て、奴への疑いが生じたとでもいうのか」

「彼はこんなことをいったんだ。君はいつまでも若々しい、自分なんかとは大違いだ、髪もどっさりある――そういって自分の頭髪を少し気にする素振りを見せた。そのことは僕を驚かせた。なぜならあの石神という人物は、容姿など絶対に気にする男ではなかったからだ。人間の価値はそんなものでは計れず、それを必要とするような人生など選ばない、というのが昔からの主義だった。そんな彼が外見を気にしている。彼は確かに髪が薄いが、そんな今さらどうしようもないことを嘆いている。それで僕は気づいたんだ。彼は外見や容姿を気にせざるをえない状況にいる、つまり恋をしているのだとね。それにしても、なぜこんな場所で、唐突にそんなことをいいだしたのか。急に外見を気にしたのか」

湯川のいわんとすることに草薙は気づいた。彼はいった。

「間もなくその惚れている女に会うから、か」

湯川は頷いた。

「僕もそう考えた。弁当屋で働いている女性、アパートの隣人で、元夫が殺された女性こそ、彼の意中の相手ではないかと考えた。しかしそうなると大きな疑問がわく。彼の事件に対するスタンスだ。当然、気になって仕方がないはずなのに、傍観者を決め込んでいる。やはり彼が恋をしているというのは思い過ごしなのか。そこで改めて石神に会い、彼と一緒に弁当屋に行ってみた。彼の態度から何かわかると思ったからだ。するとそこに思いがけない人物が現れた。花岡靖子の知り合いの男性だ」

「工藤だ」草薙はいった。「現在、靖子と付き合っている」

「そうらしいね。その工藤なる人物と彼女が話しているのを見ている時の石神の顔——」湯川は眉間に皺を寄せ、首を振った。「あれで確信した。石神の恋の相手は彼女だとね。彼の顔には嫉妬の色が浮かんでいた」

「しかしそうなると、一方の疑問がまた出てくる」

「そう。その矛盾を解決する説明は一つしかなかった」

「石神が事件に絡んでいる——おまえが奴を疑い始めたのは、そういう流れからだったのか」草薙は改めてビルのガラスドアを見た。「恐ろしい男だよ、おまえは。石神としては、一筋の傷が命取りになったわけか」

「彼の強烈な個性は何年経っても僕の記憶に焼き付いていた。そうでなかったら、僕でも気づかなかった」

「どっちにしても、奴にツキがなかったということだな」そういって草薙は通りに向かって歩き始めた。だが湯川がついてこないことに気づくと、立ち止まった。「『べんてん亭』に行くんじゃないのか」

湯川は俯いて草薙に近づいてきた。

「君にとって酷なことを要求したいんだけど、構わないか」

草薙は苦笑した。「内容によるな、それは」

「一人の友達として、僕の話を聞けるか。刑事であることは捨てられるか」

「……どういうことだ」

「君に話しておきたいことがある。ただし、友達に話すのであって、刑事に話すのではない。だから僕から聞いたことは、絶対に誰にもしゃべらないでもらいたい。君の上司にも、仲間にも、家族にもだ。約束できるか」眼鏡の向こうの目には、切迫感が溢れていた。ぎりぎりの決断を迫らざるをえない事情が湯川にはあるのだと感じさせた。

内容による、といいたいところだった。だが草薙はその言葉を呑み込んだ。それを口にすれば、今後この男から友人と認めてもらえないと思った。

「わかった」草薙はいった。「約束する」

18

唐揚げ弁当を買った客が店を出ていくのを見送った後、靖子は時計を見た。あと数分で午後六時になるところだった。吐息をつき、白い帽子を脱いだ。

工藤から、仕事の後で会おうといわれていた。昼間、携帯電話にかかってきたのだ。お祝いだ、と彼はいった。その口調は弾んでいた。

何のお祝いかと問うと、「決まってるじゃないか」と彼は答えた。

「例の犯人が捕まったことのお祝いだよ。これで君も事件から解放される。僕も余計な気を遣わなくて済むようになった。刑事にまとわりつかれる心配もないわけだし、乾杯のひとつもしたいと思ってさ」

工藤の声は、ひどく軽々しく、能天気に聞こえた。事件の背景を知らないのだから当然のことなのだが、靖子としては彼に合わせる気になれなかった。

そんな気にはなれない、と彼女はいった。

どうして、と工藤は尋ねてきた。靖子が黙っていると、ああそうか、と彼なりに何かに気づいたようにいった。

「別れたとはいえ、被害者と君とは浅からぬ縁があったんだったね。たしかに、お祝いというのは不謹慎だった。謝るよ」

全く的はずれだったが、靖子は黙っていた。すると彼はいった。

「それとは別に、重要な話があるんだ。今夜、ぜひ会ってほしい。いいね？」

断ろうかと思った。そういう気分ではなかった。自分の代わりに自首してくれた石神に対し、あまりにも申し訳ないと思った。しかし断りの言葉が出なかった。工藤の重要な話とは何だろう――。

結局、六時半頃に迎えに来てもらうことになった。工藤は美里にも同席してもらいたい口振りだったが、それはやんわりと断った。今の美里を工藤に会わせるわけにはいかない。

靖子は家の留守番電話に、今夜は少し遅くなるということを吹き込んでおいた。それを聞いた美里がどんなふうに思うかを想像すると、気が重かった。

六時になると靖子はエプロンを外した。奥にいる小代子に声をかけた。

「あら、こんな時間」早めの夕食をとっていた小代子は、時計を見た。「お疲れ様。後のことはいいわよ」

「じゃあこれで」靖子はエプロンを畳んだ。

「工藤さんと会うんでしょ?」小代子が小声で訊いてきた。

「えっ?」

「昼間、電話がかかってきたみたいじゃない。あれ、デートの誘いでしょ」

靖子が困惑して黙っていると、どう誤解したのか、「よかったわねえ」と小代子はしみじみとした口調でいった。

「おかしな事件も片づいたようだし、工藤さんみたいないい人と交際できるし、やっとあなたにも運が巡ってきたんじゃないの?」

「そうかな……」

「そうよ、きっと。いろいろと苦労したんだし、これからは幸せにならないと。美里ちゃんのためにもね」

小代子の言葉は、様々な意味で靖子の胸にしみた。彼女は心の底から友人の幸せを望んでくれている。その友人が人殺しをしたことなど、微塵も考えていないのだ。

また明日、といって靖子は厨房を出た。小代子の顔を正視できなかった。

『べんてん亭』を出て、いつもの帰り道とは反対の方向に歩きだした。角のファミリーレストランが工藤との待ち合わせ場所だった。本当はその店にはしたくなかった。富樫と待ち合わせをしたのもそこだったからだ。だが工藤が、一番わかりやすいからといって指定してきたので、場所を変えてくれとはいいにくかった。

頭上を首都高速道路が走っている。その下をくぐった時、花岡さん、と後ろから声をかけられた。男の声だった。

立ち止まって振り返ると、見覚えのある二人の男が近づいてくるところだった。一方は湯川という男で、石神の古い友人だといっていた。もう一人は刑事の草薙だ。なぜこの二人が一緒なのか、靖子にはわからなかった。

「僕のこと、覚えておられますよね」湯川が訊いてきた。

靖子は二人の顔を交互に見つめながら頷いた。

「これから何かご予定が？」

「ええ、あの……」彼女は時計を見るしぐさをしていた。だがじつは動揺し、時刻などは見ていなかった。「ちょっと人と約束が」

「そうですか。三十分だけでも話を聞いていただきたいのですが。大事な話なんです」

「いえ、それは……」首を振った。

「十五分ならどうですか。十分でも結構です。そこのベンチで」そういって湯川はそばの小さな公園を指差した。高速道路の下のスペースが、公園に利用されているのだ。

口調は穏やかだが、その態度には有無をいわせぬ真剣さが漂っていた。何か重要なことを話すつもりなのだと靖子は直感した。この大学の助教授だという男は、以前会った時にも、軽口を叩くような調子で、じつは大きな圧力を彼女にかけてきた。

逃げだしたい、というのが本音だった。しかし、どんな話をするつもりなのかも気になった。その内容は石神のことに違いなかった。

「じゃあ、十分だけ」

「よかった」湯川はにっこりと微笑み、率先して公園に入っていった。

靖子が躊躇っていると、「どうぞ」と草薙が促すように手を伸ばした。彼女は頷き、湯川に続いた。この刑事が黙っているのも不気味だった。

二人掛けのベンチに湯川は腰を下ろしていた。靖子が座る場所は空けてくれている。

「君はそこにいてくれ」湯川が草薙にいった。「二人だけで話をするから」

草薙は少し不満そうな顔をしたが、顎を一度突き出すと、公園の入り口付近まで戻り、煙草を取り出した。

靖子は草薙のほうを少し気にしながら湯川の隣に座った。

「あの方、刑事さんでしょう？　いいんですか」

「構いませんよ。本来、僕が一人で来るつもりだったのです。それに彼は、僕にとっては刑事である以前に友人です」

「友人？」

「大学時代の仲間です」そういって湯川は白い歯を覗かせた。「だから石神とも同窓生ということになる。もっとも彼等二人は、今度のことがあるまで一面識もなかったらしいですが」

そういうことだったのかと靖子は合点した。なぜこの助教授が事件を機に石神に会いに来たのか、今ひとつよくわからなかったのだ。

石神は何も教えてくれなかったが、彼の計画が破綻したのは、この湯川という人物が絡んできたからではないかと靖子は考えていた。刑事が同じ大学の出身で、しかも共通の友人を持っていたことなど、彼の計算外のことだったのだろう。

それにしてもこの男は、一体何を話すつもりなのか——。

「石神の自首は誠に残念です」湯川がいきなり核心に触れてきた。「あれほどの才能を持った男が、今後刑務所の中でしかあの頭脳を使えないのかと思うと、研究者としてじつに悔しいです。無念です」

靖子はそれに対しては何も答えず、膝に置いた手をぎゅっと握りしめた。

「だけど、僕にはどうしても信じられないんです。彼があんなことをしていたというのがね。あなたに対して」

湯川が自分のほうを向くのを靖子は感じた。身体を固くした。

「あなたに対して、あのような卑劣なことをしていたとは、とても考えられない。いや、信じられないという表現は適切ではないな。もっと強い確信を持っています。信じていない、というべきでしょう。彼は……石神は嘘をついています。なぜ嘘をつくのか。殺人犯の汚名を着るのだから、今さら嘘なんかついたって何の意味もないはずだ。だけど彼は嘘をついている。その理由はひとつしか考えられない。その嘘は自分のためについたものではないのです。誰かのために、真実を隠しているんです」

靖子は唾を飲み込んだ。懸命に息を整えようとした。

この男は真相に薄々気づいているのだと思った。石神は誰かを庇っているだけで、真犯人は別にいる、と。だから石神を何とか救おうとしているのだ。そのためにはどうすればいいか。一番の早道は、真犯人に自首させることだ。すべてを洗いざらい白状させることだ。

靖子はおそるおそる湯川の方を窺った。意外なことに彼は笑っていた。

「あなたは、僕があなたを説得しに来たのだと思っておられるようですね」

「いえ、別に……」靖子はかぶりを振った。「それに、あたしを説得って、一体何を説得するんですか」

「そうでした。変なことをいってしまいましたね。謝ります」彼は頭を下げた。「ただ僕は、あなたに知っておいてもらいたいことがあったのです。それで、こうしてやってきたわけです」

「どういうことでしょうか」

「それは」湯川は少し間を置いてからいった。「あなたは真実を何も知らない、ということです」

靖子は驚いて目を見張った。湯川はもう笑っていなかった。

「あなたのアリバイは、おそらく本物でしょう」彼は続けた。「実際に映画館に行ったはずです。

あなたもあなたのお嬢さんもね。でなければ、刑事たちの執拗な追及に、あなたはともかく中学生のお嬢さんが耐えられるはずがない。あなた方は嘘をついていないのです」

「ええ、そうです。あたしたちは嘘なんかついていません。それがどうかしたんですか」

「でもあなたは不思議に思っているはずだ。なぜ嘘をつかなくていいのか、とね。なぜ警察の追及がこれほど緩いものなのか、とね。彼は……石神は、あなた方が刑事の質問に対して、本当のことだけをいっておけばいいように仕組んだのです。どんなに警察が捜査を押し進めても、あなたへの決定打にはならないように手を打ったんです。その仕掛けがどういったものなのか、おそらくあなたは知らない。石神が何かうまいトリックを使ってくれたようだと思っているだけで、その内容については知らない。違いますか」

「何をおっしゃってるのか、あたしにはさっぱりわからないんですけど」靖子は笑ってみせた。だがその頬が引きつっているのは自分でもわかった。

「彼はあなた方を守るために、大きな犠牲を払ったのです。僕やあなたのようなふつうの人間には想像もできない、とてつもない犠牲です。彼はたぶん事件が起きた直後から、最悪の場合には、あなた方の身代わりになることを覚悟していたのでしょう。すべてのプランはそれを前提に作られたのです。逆にいうと、その前提だけは絶対に崩してはならなかった。しかしその前提はあまりにも過酷です。誰だってくじけそうになる。そのことは石神もわかっていた。だから、いざという時に後戻りが出来ないよう、自らの退路を断っておいたのです。それが同時に、今回の驚くべきトリックでもありました」

湯川の話に、靖子は混乱し始めていた。何のことをいっているのか、まるで理解できなかったからだ。そのくせ、何かとてつもない衝撃の予感があった。

たしかにこの男のいうとおりだった。石神がどんな仕掛けを施したのか、靖子は全く知らなかった。同時に、なぜ自分に対する刑事たちの攻撃が思ったよりも激しくないのか、不思議だった。じつのところ彼女は、刑事たちの再三にわたる尋問を、的はずれとさえ感じていたのだ。

その秘密を湯川は知っている――。

彼は時計を見た。残り時間を気にしているのかもしれなかった。

「このことをあなたに教えるのは、じつに心苦しい」彼は実際、苦痛そうに顔を歪めていった。「石神がそのことを、絶対に望んでいないからです。何があっても、あなたにだけは真実を知られたくないと思っているでしょう。それは彼のためじゃない。あなたのためです。もし真相を知ったら、あなたは今以上の苦しみを背負って生きていくことになる。それでも僕はあなたに打ち明けずにはいられない。彼がどれほどあなたを愛し、人生のすべてを賭けたのかを伝えなければ、あまりにも彼が報われないと思うからです。彼の本意ではないだろうけど、あなたが何も知らないままだというのは、僕には耐えられない」

靖子は激しい動悸を覚えていた。息苦しくなり、今にも気を失いそうだった。湯川が何をいいだすのか、見当もつかなかった。だが彼の口調からも、それが想像を絶するものであることは察せられた。

「どういうことなんですか。いいたいことがあるなら、早くおっしゃってください」言葉は強いが、その声は弱々しく震えていた。

「あの事件……旧江戸川での殺人事件の真犯人は」湯川は大きく深呼吸した。「彼なんです。石神なんです。あなたでも、あなたのお嬢さんでもない。石神が殺したんです。彼は無実の罪で自首したわけではない。彼こそが真犯人だったんです」

その言葉の意味がわからず、呆然としている靖子に、ただし、と湯川は付け加えた。

「ただし、あの死体は富樫慎二ではない。あなたの元の旦那さんではないんです。そう見せかけた、全くの他人なんです」

靖子は眉をひそめた。まだ湯川のいっていることが理解できなかったからだ。だが眼鏡の向こうで悲しげにまばたきする彼の目を見つめた時、不意にすべてがわかった。彼女は大きく息を吸い込み、口元に手をやっていた。驚きのあまり、声をあげそうになった。全身の血が騒ぎ、次にはその血が一斉にひいた。

「僕のいっている意味が、ようやくわかったようですね」湯川はいった。「そうなんです。石神はあなたを守るため、もう一つ別の殺人を起こしたのです。それが三月十日のことだった。本物の富樫慎二が殺された翌日のことです」

靖子は眩暈《めまい》を起こしそうだった。座っているのでさえ辛くなった。手足が冷たくなり、全身に鳥肌が立った。

花岡靖子の様子を見て、どうやら湯川から真実を聞かされたらしいな、と草薙は察した。彼女の顔が青ざめているのが、遠目にも明らかだった。無理もない、と草薙は思った。あの話を聞いて、驚かない人間などいない。ましてや彼女は当事者なのだ。

草薙でさえ、今もまだ完全に信じているわけではなかった。先程、湯川から初めて聞かされた時には、まさかと思った。あの局面で彼が冗談をいうはずはなかったが、それはあまりにも非現実的な話だった。

そんなことありえない、と草薙はいった。花岡靖子の殺人を隠蔽するために、もう一つ別の殺人を行う？　そんな馬鹿なことがあるはずがない。だとしたら、一体どこの誰が殺されたというのだ。

その質問をすると、湯川はじつに悲しげな表情を見せて、頭を振った。

「誰なのか、名前はわからない。でも、どこにいた人間かはわかっている」

「どういう意味だ、それ」

「この世には、たとえ突然行方をくらましても、誰にも探してもらえず、誰からも心配してもらえない人間というのがいるんだよ。おそらく捜索願も出されていないだろう。その人物は、おそらく家族とも断絶して暮らしていただろうから」そういって湯川は今まで歩いてきた堤防沿いの道を指した。「君もさっき見ただろ？　そんな人たちを」

すぐには湯川のいっている意味がわからなかった。だが指差された方向を見ているうちに、閃《ひらめ》くものがあった。草薙は息を呑んだ。

「あそこにいたホームレスか？」

湯川は頷かなかったが、こんな話をした。

「空き缶を集めている人がいたのに気づいたかい？　彼はあのあたりに住処を持つホームレスのことなら何でも把握している。彼に尋ねてみたところ、一か月ぐらい前に、一人の仲間が加わった。仲間といっても、ただ同じ場所にいるというだけのことだ。その人物はまだ小屋を作っておらず、段ボールをベッドにすることにも抵抗を感じている様子だった。最初は誰でもそうだ、と空き缶集めのおじさんは教えてくれた。人間というのは、なかなかプライドを捨てられないらしいね。でも時間の問題だとおじさんはいっていた。ところがその人物は、ある日突然消えた。何の前触れもなかった。どうしたんだろう、とおじさんは少し気にかかったけれど、それだけだ。ほかのホームレスたちも、気づいていたはずだけれど、誰もそんな話はしない。彼等の世界では、ある日急に誰かがいなくなったりするのは日常茶飯事なんだ」

ちなみに、と湯川は続けた。

「その人物が姿を見せなくなったのは三月十日前後らしい。年齢は五十歳ぐらい。やや中年太りした、平均的な体格の男だったという」

旧江戸川で死体が見つかったのは三月十一日だ。

「どういう経緯があったのかはわからないが、石神は花岡靖子の犯行を知り、その隠蔽に力を貸すことにしたのだろう。彼は、死体を処分するだけではだめだと考えた。死体の身元が割れれば、警察は必ず彼女のところへ行く。そうなると彼女や彼女の娘が、いつまでもしらを切り続けられるかどうかは怪しいからだ。そこで立てた計画が、もう一つ別の他殺体を用意し、それを富樫慎二だと警察に思い込ませるというものだった。警察は被害者がいつどこでどのように殺されたかを次第に明らかにしていくだろう。ところが捜査が進めば進むほど、花岡靖子への容疑は弱まっていく。当然だ。その死体は彼女が殺したものではないからだ。その事件は富樫慎二殺しではないからだ。君たち警察は、全く別の殺人事件の捜査をしていたというわけさ」

湯川が淡々と語る内容は、とても現実のことだとは思えなかった。草薙は話を聞きながらも首を振り続けていた。

「そんなとんでもない計画を思いついたのも、石神がふだんあの堤防を通っていたからだろう。あのホームレスたちを毎日眺めながら、彼はたぶんそんなふうに考えていたんじゃないだろうか。彼等は一体何のために生きているのだろう、このままずっとただ死ぬ日を待っているだけなのか、彼等が死んだとしても誰も気づかず、誰も悲しまないのではないか——まあ、僕の想像だがね」

「だから殺してもいい、と石神は考えたというのか」草薙は確認した。

「殺してもいいとは考えなかっただろう。でも、石神が計画を考案した背景に彼等の存在があったことは否めないと思う。以前、君にいったことがあったはずだ。論理的でありさえすれば、どんな冷酷なことでも出来る男なんだ、とね」

「人殺しが論理的か」

「彼が欲しかったのは他殺体というピースだ。パズルを完成させるには、そのピースが不可欠だった」

到底理解できる話ではなかった。そんなことを大学の講義でもするような口調で話す湯川のことも、草薙には異常に思えた。

「花岡靖子が富樫慎二を殺した翌日の朝、石神は一人のホームレスに接触した。どんなやりとりがあったのかはわからないが、アルバイトを持ちかけたのは確実だ。バイトの内容は、まず富樫慎二の借りていたレンタルルームに行き、夜まで時間を潰すこと。その部屋は石神の手によって、夜中のうちに富樫慎二の痕跡は消されていたはずだ。部屋に残るのは、その男の指紋や毛髪だけだ。夜になると彼は石神から与えられた服を着て、指示された場所に行った」

「篠崎駅か」

草薙の問いに、湯川は首を振った。

「違う。おそらく、その一つ手前の瑞江駅だ」

「瑞江駅？」

「石神は篠崎駅で自転車を盗み、瑞江駅でその男と落ち合ったのだと思う。その際石神は、もう一台自転車を用意していた可能性が高い。二人で旧江戸川の堤防まで移動した後、石神は相手の男を殺害した。顔を潰したのは、もちろん富樫慎二でないことを隠すためだ。しかしじつは指紋を焼く必要はなかった。レンタルルームには殺された男の指紋が残っているはずだから、そのままでも警察が死体の身元を富樫慎二と誤認しただろうからね。だけど顔を潰す以上、指紋も消しておかないと犯人の行動として一貫性がない。そこでやむをえず指紋を焼いたんだ。ところがそうなると、警察が身元の確認に手間取るおそれがある。だから自転車のほうに指紋を残したんだ。衣類を中途半端に燃え残したのも同様の理由からだ」

「しかしそれなら自転車が新品である必要はないんじゃないか」

「新品同様の自転車を盗んだのは、万一のことを考えたからだ」

「万一のこと？」

「石神にとって重要なことは、警察が犯行時刻を正確に割り出してくれることだった。結果的に解剖によって比較的正確に推定できたようだが、死体の発見が遅れるなどして、犯行時刻に幅をもたせられることを最も恐れたんだ。極端な場合、前日の夜、つまり九日の夜まで広げられたら、彼等にとって極めてまずいことになる。その夜は実際に花岡母娘が富樫を殺した日だから、彼女たちにアリバイはない。それを防ぐため、少なくとも自転車が盗まれたのは十日以後だという証拠がほしかった。そこであの自転車だ。丸一日以上放置されているおそれの少ない自転車、盗まれた場合に持ち主が盗難日を把握していそうな自転車、となると新品同様の自転車ということになる」

「あの自転車にはいろいろな意味があったということか」草薙は自分の額を拳で叩いた。

「発見された時、両輪がパンクさせられていたという話だったね。それも石神らしい配慮だ。おそらく、誰かに乗り逃げされるのを防ぐためだろう。彼は花岡母娘のアリバイを生かすために細心の注意を払ったんだよ」

「だけど彼女たちのアリバイはそれほど確実なものではなかったぞ。映画館にいたという決定的な証拠は、今も見つかっていない」

「だけど、いなかった、という証拠も君たちは見つけられずにいるだろ？」湯川は草薙を指差した。「崩せそうで崩れないアリバイ。これこそが石神が仕掛けた罠だった。もし鉄壁のアリバイを用意していたなら、警察は何らかのトリックが使われた可能性を疑う。その過程で、もしかしたら被害者が富樫慎二ではないのではないか、という発想が出てくるかもしれない。石神はそれを恐れた。殺されたのは富樫慎二、怪しいのは花岡靖子、そういう構図を作り上げ、警察がその固定観念から離れられないようにしたんだ」

草薙は唸った。湯川のいうとおりだった。死体の身元が富樫慎二らしいと判明した後、すぐに花岡靖子に疑いの目を向けた。彼女の主張するアリバイに、中途半端な点があったからだ。警察は彼女を疑い続けた。だが彼女を疑うということは、即ち、死体が富樫であることを疑わない、ということになる。

恐ろしい男だ、と草薙は呟いた。同感だよ、と湯川もいった。

「僕がこの恐るべきトリックに気づいたのには、君の話がヒントになっている」

「俺の？」

「石神が数学の試験問題を作る時のセオリーというのがあっただろ。思い込みによる盲点をつく、という話だ。幾何の問題に見せかけて、じつは関数の問題、というやつだ」

「あれがどうかしたのか」

「同じパターンなんだよ。アリバイトリックに見せかけて、じつは死体の身元を隠すという部分にトリックが仕掛けられていた」

あっと草薙は声を漏らした。

「あの後、君に石神の勤怠表を見せてもらったことを覚えているかい。あれによると、彼は三月十日の午前中、学校を休んでいた。事件とは関係がないと思って、君は重視していなかったようだが、あれを見て僕は気づいたんだ。石神が隠したい最も大きな出来事は、その前夜に起きたのだとね」

隠したい最も大きな出来事——それが花岡靖子による富樫慎二殺しというわけだ。

湯川の話は何から何まで辻褄が合っていた。考えてみれば彼がこだわった自転車盗難や衣類の燃え残りは、すべて事件の真相に大きく関わっていたのだ。自分たち警察は石神の仕掛けた迷路にとらわれていた、と草薙は認めざるをえなかった。

だが、非現実的、という印象は変わらなかった。一つの殺人を隠すためにもう一つ別の殺人を行う——そんなことを考える人間がいるだろうか。誰も考えないからこそトリックなのだといわれればそれまでだが。

「このトリックには、もう一つ大きな意味がある」湯川は草薙の心情を見抜いたようにいった。「それは、万一真相が見破られそうになったら自らが身代わりになって自首する、という石神の決意を揺るぎのないものにするということだ。単に身代わりになるだけなら、いざとなれば決心がぐらつく恐れがある。刑事の執拗な尋問に耐えかねて、真実を吐露することもありうる。だけど、今の彼にはそんな不安定さはないだろう。誰にどう攻められても、彼の決意が揺らぐことはない。自分が殺したのだと主張し続けるだろう。当然だ。旧江戸川で見つかった被害者を殺したのは、彼に間違いないのだからね。彼は殺人犯であり、刑務所に入れられて当然のことをしたんだ。その代わりに彼は完璧に守れる。心から愛した人のことをね」

「石神はトリックが見破られそうだと悟ったのか」

「僕が彼に告げたんだよ。トリックを見破ったと。もちろん、彼にだけわかる言い方をした。さっき君にもいった台詞だ。この世に無駄な歯車なんかないし、その使い道を決められるのは歯車自身だけだ――。歯車が何を指しているのかは、今の君ならわかるだろ？」

「石神にパズルのピースとして使われた、名無しの権兵衛さん……か」

「彼のしたことは許されることじゃない。自首して当然だ。僕が歯車の話をしたのも、それを促すためだった。だけどああいう形で自首するとは思わなかった。自分をストーカーに貶《おとし》めてまで彼女を庇うとは……。トリックのもう一つの意味に気づいたのは、そのことを知った時だった」

「富樫慎二の死体はどこにある？」

「それはわからない。石神が処分したんだろう。すでにどこかの県警で発見されているかもしれないし、まだ見つかっていないかもしれない」

「県警？　うちの管内ではないということか」

「警視庁管内は避けるはずだ。富樫慎二殺害事件と関連づけられたくないだろうから」

「だから図書館で新聞を調べていたのか。身元不明死体が見つかっていないかどうか、確認したんだな」

「僕が調べたかぎりでは、該当する死体は見つかっていないようだ。でもいずれ見つかるだろう。そんな凝《こ》った隠し方はしていないはずだ。仮に見つかったところで、その死体が富樫慎二だと判断される心配はないからね」

早速調べてみよう、と草薙はいった。すると湯川は首を振った。それは困る、約束が違う、というのだった。

「最初にいっただろう。僕は友人としての君に話したわけで、刑事に話したんじゃない。この話に基づいて君が捜査を行うというのなら、今後、友人関係は解消させてもらう」

湯川の目は真剣だった。反論できる気配すら感じさせなかった。

「僕は、彼女に賭けてみようと思う」湯川はそういって『べんてん亭』を指した。「彼女はたぶん真実を知らない。石神がどれだけの犠牲を払ったかを知らない。それを話してみようと思う。そのうえで彼女の判断を待ちたい。石神は、彼女が何も知らないで、幸せを摑んでくれることを望んでいるだろう。だけど、そんなことは僕には耐えられない。彼女は知っておくべきだと思う」

「話を聞けば、彼女は自首するというのか」

「わからない。僕自身、彼女は自首すべきだと強く思っているわけじゃない。石神のことを思うと、せめて彼女だけでも救ってやりたいような気もする」

「もしいつまで経っても花岡靖子が自首してこないのなら、俺は捜査を始めるしかない。たとえおまえとの友人関係を壊してでも」

「そうだろうな」湯川は頷いた。

花岡靖子に話している友人を眺めながら、草薙はたて続けに煙草を吸った。靖子は項垂れたままで、先程から殆ど姿勢を変えていない。湯川も唇が動いているだけで、表情に変化はなかった。だが二人を囲む空気の緊張感は、草薙のところまで伝わってきた。

湯川が立ち上がった。靖子に向かって一礼した後、草薙のいるほうに歩きだした。靖子はまだ同じ姿勢だった。動けないように見えた。

「待たせたな」湯川はいった。

「話は済んだのか」

「うん、済んだ」

「彼女はどうすると？」

「さあね。僕は話しただけだ。どうするのか訊かなかったし、どうすべきだと進言することもなかった。すべては彼女が決めることだ」

「さっきもいったことだが、もし彼女が自首しなければ――」

「わかっている」湯川は制するように手を出し、歩き始めた。「それ以上いわなくていい。それより君に頼みたいことがある」

「石神に会いたいんだろ」

草薙がいうと、湯川は目を少し大きくした。

「よくわかったな」

「わかるさ。何年付き合ってると思ってる」

「以心伝心かい。まあ、今のところはまだ友人だからな」そういうと湯川は寂しそうに笑った。

19

ベンチに座ったまま、靖子は動けずにいた。あの物理学者の話が彼女の全身にのしかかっていた。その内容は衝撃的で、何より重かった。その重さに、彼女の心は押し潰されそうだった。

あの人がそこまで——隣に住む数学教師のことを考えた。

富樫の死体をどう処理したのか、靖子は石神から何も聞かされていない。そんなことは考えなくていいと彼はいったのだ。全部自分がうまく処理したから何も心配しなくていい、電話の向こうから淡々とした口調で語りかけてきたのを靖子は覚えている。

不思議ではあった。警察はなぜ犯行の翌日のアリバイを訊くんだろう、と。それ以前に石神は、三月十日の夜の行動を指示されていた。映画館、ラーメン屋、カラオケボックス、そして深夜の電話。いずれも彼の指示に基づいたものだが、その意味がわからなかった。刑事からアリバイを尋ねられた時、ありのままを答えながらも、本当は逆に問いたかった。なぜ三月十日なのですか——。

すべてがわかった。警察の不可解な捜査は、すべて石神の仕掛けによるものだったのだ。だがその仕掛けの内容はあまりにすさまじい。湯川から聞かされ、たしかにそれ以外には考えられないと思いながらも、まだ信じられないでいる。いや信じたくない。石神がそこまでやったとは思いたくない。自分のような何の取り柄もなく、平凡で、大して魅力的とも思えない中年女のために、一生を棒に振るようなことをしたとは考えたくなかった。それを受け入れられるほど自分の心は強くないと靖子は思った。

彼女は顔を覆っていた。何も考えたくなかった。湯川は警察には話さないといった。すべては推論で証拠は何もないから、あなたがこれからの道を選べばいいといった。何という残酷な選択を迫るのだと恨めしかった。

これからどうしていいかわからず、立ち上がる気力さえなく、石のように身体を丸めていると、不意に肩を叩かれた。彼女はぎくりとして顔を上げた。

そばに誰か立っていた。見上げると、工藤が心配そうに彼女を見下ろしていた。

「どうしたんだ？」

なぜここに工藤がいるのか、すぐにはわからなかった。彼の顔を見ているうちに、会う約束をしていたことを思い出した。待ち合わせの場所に現れないので、心配して探しにきたのだろう。

「ごめんなさい。ちょっと……疲れて」それ以外、言い訳が思いつかなかった。それに実際ひどく疲れていた。もちろん身体が、ではなく、精神が、だ。

「具合が悪いのかい？」工藤が優しく声をかけてくる。

だがその優しい響きも、今の靖子にはひどく間の抜けたものにしか聞こえなかった。真実を知らないということは、時には罪悪でもあるのだと思い知った。少し前までの自分もそうだったのだと思った。

大丈夫、といって靖子は立ち上がろうとした。少しよろけると、工藤が手をさしのべてきた。ありがとう、と彼女は礼をいった。

「何かあったの？　顔色がよくないみたいだけど」

靖子はかぶりを振った。事情を説明できる相手ではない。そんな人間はこの世にいない。

「何でもないの。ちょっと気分が悪くなったから休んでただけ。もう平気よ」声を張ろうとしたが、とてもそんな気力は出なかった。

「すぐそこに車を止めてある。少し休んでから行こうか」

工藤の言葉に、靖子は彼の顔を見返した。「行くって？」

「レストランを予約してあるんだ。七時からといってあるけど、三十分ぐらいなら遅れても構わない」

「ああ……」

レストランという言葉も、異次元のもののように聞こえた。これからそんなところで食事をしろというのか。こんな気持ちを抱えたまま、作り笑いを浮かべ、上品なしぐさでフォークとナイフを扱えというのか。だが無論、工藤には何の責任もない。

ごめんなさい、と靖子は呟いた。

「どうしてもそういう気分になれないの。食事するなら、もっと体調のいい時のほうがいいわ。今日はちょっと、何というか……」

「わかった」工藤は彼女を制するように手を出した。「どうやらそのほうがよさそうだ。いろいろあったから、疲れても当然だ。今日はゆっくり休んだらいい。考えてみれば、落ち着かない日が続きすぎた。少し、のんびりさせてやるべきだった。僕が気が利かなかったよ。申し訳ない」

素直に謝る工藤を見て、この人もいい人なのだと改めて靖子は思った。心底自分のことを大切に思っている。こんなにも愛してくれる人がたくさんいるのに、なぜ自分は幸せになれないのかと虚しかった。

彼に背中を押されるようにして歩きだした。工藤の車は数十メートル離れた路上に止めてあった。送っていく、と彼はいってくれた。断るべきだと思ったが、靖子は甘えた。家までの道のりは、途方もなく遠く感じられた。

「本当に大丈夫？　何かあったんなら、隠さないで話してほしいんだけどな」車に乗り込んでから工藤は再び訊いてきた。今の靖子を見ていれば、気になって当然かもしれなかった。

「うん、大丈夫。ごめんね」靖子は彼に笑いかけた。精一杯の演技だった。

あらゆる意味で申し訳ない気持ちでいっぱいだった。その気持ちが、あることを彼女に思い出させた。工藤が今日会いたいといってきた理由だ。

「工藤さん、何か重要な話があるっていってなかった？」

「うん、まあ、そうなんだけどね」彼は目を伏せた。「今日はやめておくよ」

「そう？」

「うん」彼はエンジンをかけた。

工藤の運転する車に揺られながら、靖子は外をぼんやりと眺めた。日はすっかり暮れ、街は夜の顔に変わりつつある。このまますべてが闇になり、世界が終わってしまったら、どれほど気が楽だろうかと思った。

アパートの前で彼は車を止めた。「ゆっくり休むといい。また連絡する」

うん、と頷いて靖子はドアのレバーに手をかけた。すると工藤が、「ちょっと待って」といった。

靖子が振り向くと、彼は唇を舐め、ハンドルをぽんぽんと叩いた。それからスーツのポケットに手を入れた。

「やっぱり、今話しておくよ」

「何？」

工藤はポケットから小さなケースを取り出した。何のケースかは一目でわかった。

「こういうのって、テレビドラマなんかでよく見るからあまりやりたくはないんだけど、まあ、形式の一つかなと思ってね」そういって彼は靖子の前でケースを開いた。指輪だった。大きなダイヤが細かい光を放っていた。

「工藤さん……」愕然として靖子は工藤の顔を見つめた。

「今すぐでなくてもいいんだ」彼はいった。「美里ちゃんの気持ちも考えなきゃいけないし、もちろんその前に君自身の気持ちも大切だ。でも、僕がいい加減な気持ちでいるわけでないことはわかってほしい。君たち二人を幸せにする自信が、今の僕にはある」彼は靖子の手を取り、そこにケースを載せた。「受け取ったからといって負担に思うことはない。これは単なるプレゼントだ。でももし、君が僕とこの先一緒に暮らしていく決心がついたなら、この指輪は意味を持つことになる。考えてみてくれないか」

小さなケースの重みを掌に感じながら、靖子は途方に暮れていた。驚きのあまり、彼の告白の言葉は半分も彼女の頭には入ってこなかった。それでも意図はわかった。わかったからこそ混乱していた。

「ごめん。ちょっと唐突すぎたかな」工藤は照れ笑いを浮かべた。「あわてて答えを出す必要はないから。美里ちゃんと相談してくれてもいい」そういって靖子の手にあるケースの蓋を閉じた。

「よろしく」

靖子は発すべき言葉が思いつかなかった。様々なことが頭の中を駆け巡っていた。石神のことも――いや、それが大半かもしれない。

「考えて……おきます」そう答えるのが精一杯だった。

工藤は納得したように頷いた。それを見てから靖子は車を降りた。

彼の車が去るのを見届けてから彼女は部屋に戻ることにした。部屋のドアを開ける時、隣のドアに目を向けた。郵便物が溢れているが、新聞はない。警察に出頭する前に、石神が解約したのだろう。それぐらいの配慮は、彼にとっては何でもないことに違いなかった。

美里はまだ帰っていなかった。靖子は座り込み、長い吐息をついた。それからふと思いついて、そばの引き出しを開けた。一番奥に入れてある菓子箱を取り出し、蓋を取った。過去の郵便物を入れた箱だが、その一番下から封筒を抜き取った。封筒には何も書かれていない。中には一枚のレポート用紙が入っていた。文字がびっしりと書かれている。

石神が最後の電話をかけてくる前に、靖子の部屋の郵便受けに投入したものだ。この文書と一緒に三通の封筒が入っていた。いずれも彼が靖子のストーカーをしていたことを示すものだった。現在その三通の手紙は警察にある。

文書には手紙の使い方、やがて彼女のもとに訪ねてくるであろう刑事たちへの応答の仕方などが、細かく記されていた。靖子に対してだけでなく、美里への指示も書いてあった。あらゆる状況を見越し、どんな質問を受けても花岡母娘がぐらつかないでいられるような配慮が、その丁寧な説明文に込められていた。そのおかげで靖子も美里も、うろたえることなく、堂々と刑事たちと対峙できた。ここで下手な対応をして嘘が見抜かれては、石神のせっかくの苦労が水の泡になるという思いが靖子にはあった。おそらく美里も同じ気持ちだろう。

それらの指示の最後に、次の文章が付け足してあった。

『工藤邦明氏は誠実で信用できる人物だと思われます。彼と結ばれることは、貴女と美里さんが幸せになる確率を高めるでしょう。私のことはすべて忘れてください。決して罪悪感などを持ってはいけません。貴女が幸せにならなければ、私の行為はすべて無駄になるのですから。』

読み返してみて、また涙が出た。

これほど深い愛情に、これまで出会ったことがなかった。いやそもそも、この世に存在することさえ知らなかった。石神のあの無表情の下には、常人には底知れぬほどの愛情が潜んでいたのだ。

彼の自首を知った時、単に自分たちの身代わりで出頭しただけだと思っていた。だが湯川の話を聞いた今では、この文書に込められた石神の思いが、一層強く胸に突き刺さってくる。

警察にいって、すべてを話してしまおうかと思う。だがそれをしたところで石神は救われない。彼もまた殺人を犯しているのだ。

工藤からもらった指輪のケースが目に留まった。蓋を開け、指輪の輝きを見つめた。

こうなってしまった以上は、せめて石神の希望通りに、自分たちが幸せを摑むことを考えるべきなのかもしれなかった。彼が書いているように、ここでくじければ、彼の苦労は無駄になってしまうのだ。

真実を隠しているのは辛い。隠したまま幸せを摑んだところで、本当の幸福感は得られないだろう。一生自責の念を抱えて過ごさねばならず、気持ちが安らぐこともないに違いない。しかしそれに耐えることが、せめてもの償いなのかもしれないと靖子は思った。

指輪を薬指に通してみた。ダイヤは美しかった。心に曇りを持たぬまま工藤のもとへ飛び込んでいけたらどんなに幸せだろうと思った。だがそれは叶わぬ夢だ。自分の心が晴れることはない。むしろ、心に一点の曇りも持っていないのは石神だった。

指輪をケースに戻した時、靖子の携帯電話が鳴った。彼女は液晶画面を見た。知らない番号が表示されていた。

はい、と彼女は答えてみた。

「もしもし、花岡美里さんのおかあさんですか」男の声だった。聞き覚えはない。

「はい、そうですけど」不吉な予感がした。

「私、森下南中学校のサカノといいます。突然お電話して申し訳ありません」

美里の通っている中学だ。

「あの、美里に何か？」

「じつは先程、体育館の裏で、美里さんが倒れているのが見つかったんです。それが、あの、どうやら、手首を刃物か何かで切ったようで」

「えっ……」心臓が大きく跳ね、息が詰まった。

「出血がひどいので、すぐに病院に運びました。でも命に別状はありませんから御安心ください。ただ、あの、自殺未遂の可能性がありますので、そのことは御承知おき願いたいと……」

相手の話の後半は、殆ど靖子の耳には届いていなかった。

目の前の壁には無数の染みがついていた。中から適当な何点かを選び、頭の中でそれらの点をすべて直線で結んだ。出来上がった図形は、三角形と四角形と六角形を組み合わせたものになった。次にそれを四つの色で塗り分けていく。隣同士が同じ色になってはいけない。もちろんすべて頭の中での作業だ。

その課題を石神は一分以内でこなした。一旦頭の中の図形をクリアし、別の点を選んで同様のことを行う。単純なことだが、いくら繰り返しても飽きることはなかった。この四色問題に疲れたら、次は壁の点を使って、解析の問題を作ればいい。壁にある染みのすべての座標を計算するだけでも、かなりの時間を使いそうだった。

身体を拘束されることは何でもない、と彼は思った。紙とペンがあれば、数学の問題に取り組める。もし手足を縛られても、頭の中で同じことをすればいい。何も見えなくても、何も聞こえなくても、誰も彼の頭脳にまでは手を出せない。そこは彼にとって無限の楽園だ。数学という鉱脈が眠っており、それをすべて掘り起こすには、一生という時間はあまりに短い。

誰かに認められる必要はないのだ、と彼は改めて思った。論文を発表し、評価されたいという欲望はある。だがそれは数学の本質ではない。誰が最初にその山に登ったかは重要だが、それは本人だけがわかっていればいいことだ。

もっとも、現在の境地に達するには、石神にしても時間がかかった。ほんの少し前までは、生きている意味を見失いかけていた。数学しか取り柄のない自分が、その道を進まないのであれば、もはや自分に存在価値はないとさえ思った。毎日、死ぬことばかりを考えていた。自分が死んでも誰も悲しまず、困らず、それどころか、死んだことにさえ誰も気づかないのではないかと思われた。

一年前のことだ。石神は部屋で一本のロープを手にしていた。それをかける場所を探していた。アパートの部屋というのは、案外そういう場所がない。結局柱に太い釘を打った。そこへ輪にしたロープをかけ、体重をかけても平気かどうかを確認した。柱はみしりと音をたてたが、釘が曲がることも、ロープが切れることもなかった。

思い残すことなど何ひとつなかった。死ぬことに理由などない。ただ生きていく理由もないだけのことだ。

台に上がり、首をロープに通そうとしたその時、ドアのチャイムが鳴った。

運命のチャイムだった。

それを無視しなかったのは、誰にも迷惑をかけたくなかったからだ。ドアの外にいる誰かは、何か急用があって訪ねてきたのかもしれない。

ドアを開けると二人の女性が立っていた。親子のようだった。

隣に越してきた者だと母親らしき女性が挨拶した。娘も横で頭を下げてきた。二人を見た時、石神の身体を何かが貫いた。

何という奇麗な目をした母娘だろうと思った。それまで彼は、何かの美しさに見とれたり、感動したことがなかった。芸術の意味もわからなかった。だがこの瞬間、すべてを理解した。数学の問題が解かれる美しさと本質的には同じだと気づいた。

彼女たちがどんな挨拶を述べたのか、石神はろくに覚えていない。だが二人が彼を見つめる目の動き、瞬きする様子などは、今もくっきりと記憶に焼き付いている。

花岡母娘と出会ってから、石神の生活は一変した。自殺願望は消え去り、生きる喜びを得た。二人がどこで何をしているのかを想像するだけで楽しかった。世界という座標に、靖子と美里という二つの点が存在する。彼にはそれが奇跡のように思えた。

日曜日は至福の時だった。窓を開けていれば、二人の話し声が聞こえてくるのだ。内容までは聞き取れない。しかし風に乗って入ってくるかすかな声は、石神にとって最高の音楽だった。

彼女たちとどうにかなろうという欲望は全くなかった。自分が手を出してはいけないものだと思ってきた。それと同時に彼は気づいた。数学も同じなのだ。崇高なるものには、関われるだけでも幸せなのだ。名声を得ようとすることは、尊厳を傷つけることになる。

あの母娘を助けるのは、石神としては当然のことだった。彼女たちがいなければ、今の自分もないのだ。身代わりになるわけではない。これは恩返しだと考えていた。彼女たちは身に何の覚えもないだろう。それでいい。人は時に、健気に生きているだけで、誰かを救っていることがある。

富樫の死体を目にした時、石神の頭の中ではすでに一つのプログラムが出来上がっていた。

死体を完璧に処分するのは困難だ。どれだけ巧妙にやっても、身元の判明する確率をゼロにはできない。また仮に運良く隠せたとしても、花岡母娘の心が安らぐことはない。いつか見つかるのではないかと怯えながら暮らすことになる。彼女たちにそんな苦しみを味わわせることは耐えられなかった。

靖子たちに安らぎを与えるには方法は一つしかない。事件を、彼女たちと完全に切り離してしまえばいいのだ。一見繋がっていそうだが、決して交わらない直線上に移せばいい。

そこで、『技師』を使おう、と心に決めた。

『技師』——新大橋のそばでホームレスの生活を始めたばかりの男だ。

三月十日の早朝、石神は『技師』に近づいた。『技師』はいつものように、ほかのホームレスから離れた場所で座っていた。

仕事を頼みたい、と石神は持ちかけた。数日間、河川の工事に立ち会ってほしいといったのだ。『技師』が建築関係の仕事をしていたことには気づいていた。

なぜ自分に、と『技師』は訝《いぶか》った。事情があるのだ、と石神はいった。本来その仕事を頼んでいた男が事故で行けなくなったのだが、立会人がいないと工事の許可が下りないので、身代わりが必要――そういうことを話した。

前金で五万円を渡すと、『技師』は承諾した。石神は彼を連れて、富樫の借りているレンタルルームに行った。そこで富樫の服に着替えさせ、夜までじっとしているように命じた。

夜、瑞江駅に『技師』を呼び出した。その前に石神は篠崎駅で自転車を盗んでいた。なるべく新しい自転車を選んだのは、持ち主に騒いでもらったほうがありがたいからだ。

じつはもう一台自転車を用意してあった。それは瑞江駅の一つ手前の一之江駅で盗んできた。こちらは古く、施錠もいい加減なものだった。

新しいほうの自転車に『技師』を乗らせ、二人で現場に向かった。旧江戸川べりの、例の場所だ。

その後のことは思い出すたびに気持ちが暗くなる。『技師』は事切れるまで、自分がなぜ死なねばならないのかわからなかったことだろう。

第二の殺人については、誰にも知られてはならなかった。とりわけ花岡母娘には絶対に気づかれてはならなかった。そのためにわざわざ同じ凶器を使い、同じような絞め方で殺したのだ。

富樫の死体は、風呂場で六つに分割し、それぞれに重石をつけた上で隅田川に投棄した。三箇所にわけ、すべて夜中に行った。三晩かかった。いずれ発見されるだろうが、それは構わない。死体の身元を警察は絶対に突き止められない。彼等の記録では富樫は死んでいる。同じ人間が二度死ぬことはない。

このトリックに、おそらく湯川だけは気づいている。だから石神としては警察に出頭する道を選んだ。そのことは最初から覚悟していたし、準備もしてあった。

湯川は草薙に話すだろう。草薙は上司に伝えるだろう。だが警察は動けない。被害者の身元が違っていることなど、もはや証明できない。起訴は間もなく、と石神は踏んでいた。今さら後戻りなどできない。その根拠もない。天才物理学者の推理がどれほど見事であろうとも、犯人の告白に勝るものではない。

自分は勝ったのだ、と石神は思った。

ブザーの音が聞こえた。留置場の出入りに使うものだ。看守が席を立った。

短いやりとりがあり、誰かが入ってきた。石神のいる居房の前に立ったのは草薙だった。

看守に命じられ、石神は居房を出た。身体検査をされた上で、草薙に身柄を引き渡された。その間、草薙は一言も発しない。

留置場のドアを出たところで、草薙が石神のほうを向いた。「体調はどうですか」

この刑事は未だに敬語を使う。何か意味があるのか、彼の方針なのか、石神にはわからない。

「さすがに少し疲れました。出来れば、法的処置を早くしてもらいたいです」

「じゃあ、取調べはこれを最後にしましょう。会ってもらいたい人物がいるんです」

石神は眉をひそめた。誰だろう。まさか靖子ではあるまい。

取調室の前に行くと、草薙がドアを開けた。中にいたのは湯川学だった。沈んだ顔をして、じっと石神を見つめてきた。

最後の難関だな——彼は気を引き締めた。

二人の天才は、机を挟んでしばらく黙っていた。草薙は壁にもたれるようにして立ち、彼等の様子を見守った。

「少し痩せたようだな」湯川が口火を切った。

「そうかな。食事はちゃんととっているんだが」

「それはよかった。ところで」湯川は唇を舐めた。「ストーカーのレッテルを貼られて悔しくないか」

「俺はストーカーではないよ」石神は答えた。「花岡靖子を陰ながら守ってきた。何度もそういっている」

「それはわかっている。君が今も彼女を守っていることもね」

石神は一瞬不快そうな顔をし、草薙を見上げた。

「こういうやりとりが捜査の役に立つとは思えないんですが」

草薙が黙っていると、湯川がいった。

「僕の推理を彼に話したよ。君が本当は何をしたのか、誰を殺したのか、を」

「推理を話すのは自由だ」

「彼女にも話した。花岡靖子にも」

湯川の言葉に、石神の頬がぴくりと引きつった。だがすぐに薄笑いに変わった。

「あの女は少しは反省している様子だったか。俺に感謝していたか。厄介者を始末してやったというのに、自分は何の関係もないと、しゃあしゃあと語っているそうじゃないか」

口元を歪め、性悪を演じる姿に、草薙は胸が詰まった。人間がこれほど他人を愛することができるものなのかと感嘆するばかりだった。

「君は自分が真実を語らないかぎり、真相が明らかになることはないと信じているようだが、それは少し違う」湯川はいった。「三月十日、一人の男性が行方不明になった。何の罪もない人間だ。その人物の身元を突き止め、家族を探しだせれば、DNA鑑定が可能になる。富樫慎二と思われた遺体のそれと照合すれば、遺体の本当の正体がわかる」

「何のことをいっているのかよくわからんが」石神は笑みを浮かべていた。「その男に家族はいないんじゃないかな。また仮に別の方法があるとしても、遺体の身元を明かすには膨大な手間と時間が必要になる。その頃、俺の裁判は終わっている。もちろんどんな判決が出ようとも控訴しない。結審すれば事件は終わる。富樫慎二殺害事件は終了。警察には手が出せない。それとも」

彼は草薙を見た。「湯川の話を聞いて、警察は態度を変えるかな。しかしそのためには、俺を釈放せねばならない。その理由は何だ。犯人じゃないから？　だが俺は犯人だ。この自白をどう扱う？」

草薙は俯いた。彼のいうとおりだった。彼の自供内容が嘘であることを証明できないかぎり、流れにストップはかけられない。警察のシステムとはそういうものだ。

「君にひとつだけいっておきたいことがある」湯川はいった。

なんだ、というように石神が彼を見返した。

「その頭脳を……その素晴らしい頭脳を、そんなことに使わねばならなかったのは、とても残念だ。非常に悲しい。この世に二人といない、僕の好敵手を永遠に失ったことも」

石神は口を真一文字に結び、目を伏せた。何かに耐えているようだった。

やがて彼は草薙を見上げた。

「彼の話は終わったようです。もういいですか」

草薙は湯川を見た。彼は黙って頷いた。

行こうか、といって草薙はドアを開けた。まず石神が外に出て、湯川がそれに続いた。湯川を残し、石神だけを留置場に連れていこうとした時だった。通路の角から岸谷が現れた。さらに彼の後から一人の女がついてきた。

花岡靖子だった。

「どうしたんだ」草薙は岸谷に訊いた。

「それが……この人から連絡があって、話したいことがあるということなので、それで、たった今、あの、すごい話を……」

「一人で聞いたのか」

「いえ、班長も一緒でした」

草薙は石神を見た。彼の顔は灰色になっていた。その目は靖子を見つめ、血走っていた。

「どうして、こんなところに……」呟いた。

凍り付いたように動かなかった靖子の顔が、みるみる崩れていった。その両目から涙が溢れていた。彼女は石神の前に歩み出ると、突然ひれ伏した。

「ごめんなさい。申し訳ございませんでした。あたしたちのために……あたしなんかのために……」背中が激しく揺れていた。

「何いってるんだ。あんた、何を……おかしなことを……おかしなことを」石神の口から呪文のように声が漏れた。

「あたしたちだけが幸せになるなんて……そんなの無理です。あたしも償います。罰を受けます。石神さんと一緒に罰を受けます。あたしに出来ることはそれだけです。あなたのために出来ることはそれだけです。ごめんなさい。ごめんなさい」靖子は両手をつき、頭を床にこすりつけた。

石神は首を振りながら後ろに下がった。その顔は苦痛に歪んでいた。

くるりと身体の向きを変えると、彼は両手で頭を抱えた。

うおううおううおう――獣の咆哮《ほうこう》のような叫び声を彼はあげた。絶望と混乱の入り交じった悲鳴でもあった。聞く者すべての心を揺さぶる響きがあった。

警官が駆けつけてきて、彼を取り押さえようとした。

「彼に触るなっ」湯川が彼等の前に立ちはだかった。「せめて、泣かせてやれ……」

湯川は石神の後ろから、彼の両肩に手を載せた。
石神の叫びは続いた。魂を吐き出しているように草薙には見えた。

初出　「オール讀物」二〇〇三年六月号〜二〇〇四年六月号、二〇〇四年八月号〜二〇〇五年一月号
（「容疑者Ｘ」を改題）

東野圭吾

1958年、大阪生まれ。
大阪府立大学電気工学科卒。
エンジニアとして勤務しながら、
1985年、「放課後」で
第31回江戸川乱歩賞受賞。
1999年、「秘密」で
第52回日本推理作家協会賞受賞。
2006年、「容疑者Xの献身」で
第134回直木賞受賞。
著書に「同級生」「変身」「分身」
「天空の蜂」「毒笑小説」「名探偵の掟」
「悪意」「探偵ガリレオ」「白夜行」
「予知夢」「レイクサイド」「手紙」
「幻夜」「さまよう刃」等があり、
多彩な作風で活躍しつつ、
意欲的な挑戦を続けている。

容疑者《ようぎしゃ》X《エックス》の献身《けんしん》

二〇〇五年八月三十日　第一刷発行
二〇〇六年二月二十日　第十六刷発行

著者　東野圭吾《ひがしのけいご》
発行者　白幡光明
発行所　株式会社　文藝春秋
〒102-8008　東京都千代田区紀尾井町三―二三
電話　〇三―三二六五―一二一一
印刷所　凸版印刷
製本所　加藤製本

ISBN4-16-323860-3

東野圭吾の本

サンタのおばさん

画・杉田比呂美

今年もイブが近づいて、恒例のサンタクロース会議が開かれます。新たに加わることになったサンタは何と女性。彼女を認めるかどうかで会議は大騒ぎに――。小説『片想い』に登場するお話が素敵な絵本になりました。

四六判